Reichsgerichts-Entscheidungen

in kurzen Auszügen

Herausgegeben vom

Deutschen Richterbund

Zivilsachen — Band 112

1926

München, Berlin und Leipzig

J. Schweitzer Verlag (Arthur Sellier).

Druck von Dr. F. P. Datterer & Cie., Freising-München

Von dieser Sammlung erschienen folgende Bändchen:

I. Zivilsachen: Bd. 76, 77, 78, 79 je Rmark 0,75.
„ 80, 81, 82, 83, 84, 85, 86, 87, 88, 89, 90, 91, 92, 93, 94, 95, 96 je Rmark 0,80
„ 97, 98, 99, 100, 101 je 0,85
„ 102—104 je Rmark 0,90
„ 105 Rmark 1.—.
„ 106—108 je Rmark 1,20.
„ 109, 110, 111 je Rmark 2.—

II. Strafsachen: Bd. 45—53 je Rmark 0,75.
„ 54 Rmark 0,80.
„ 55, 56, 57 je Rmark 1,20.
„ 58, 59 je Rmark 2.—.

Jedes Bändchen entspricht einem Bande der amtlichen Sammlung.

1. Zustellung. Beglaubigung. (ZPO. § 170.) Ein Anwalt ließ eine Klage für sich durch einen anderen Anwalt erheben, mit dem er sich zur gemeinsamen Berufsausübung verbunden hatte; die zugestellte Abschrift der Klage war aber von ihm selbst beglaubigt. Der Einwand, daß die Klage nicht ordnungsmäßig zugestellt sei, wurde zurückgewiesen. Allerdings sind Zustellungen durch einen Anwalt schon deshalb für unwirksam erklärt worden, weil ein anderer Anwalt die zuzustellende Abschrift beglaubigt hatte; diese Entscheidungen wandten sich aber dagegen, daß der mit der Zustellung befaßte Anwalt eine Teilung seiner Aufgabe in der Weise vornahm, daß er die Beglaubigung einem anderen Anwalt überließ. Der Kläger, der selbst Anwalt war, leitete die Beglaubigungsmacht nicht aus Befugnissen des anderen Anwalts ab, sondern bediente sich dieses Anwalts nur, um das zu übergebende Schriftstück an den Gerichtsvollzieher gelangen zu lassen. Warum die zulässigerweise vorgenommene Beglaubigung nicht wirksam sein sollte, war nicht einzusehen. (II, 9. Oktober 1925.)

Amtl. Sammlg. S. 1—2.
Vgl. Bd. 33 S. 399.

2. Urheberrecht an Schriftwerken. Büchertitel. Unlauterer Wettbewerb. (LitUrhG. §§ 4, 29, 34; UWG. §§ 1, 16; BGB. § 1004.) In einem Verlag erschien seit dem Jahre 1869 ein Sammelwerk in 6 Bänden, das seit der zweiten, im Jahre 1876 herausgegebenen Auflage den Titel „Brehms Tierleben" führte. Der Verfasser starb im Jahre 1884. Den folgenden Auflagen fügte der Verlag zwei weitere Bände hinzu, die von anderen Verfassern stammten. Im Jahre 1924 gab ein anderer Verleger ein sechsbändiges Sammelwerk heraus, das eine Bearbeitung der zweiten Auflage des vorgenannten Werkes darstellte und gleichfalls den Titel „Brehms Tierleben" trug; auf dem Titelblatt war hinzugefügt: „In Auswahl herausgegeben und bearbeitet von Karl Neumann." Der erste Verleger klagte gegen den zweiten mit dem Antrag, ihm den Gebrauch der Bezeichnung „Brehms Tierleben" für das von ihm herausgegebene Werk im geschäftlichen Verkehr zu untersagen. In zwei Instanzen drang die Klage durch; das Reichsgericht wies sie ab. Es handelte sich um ein

Sammelwerk; an den von Brehm selbst verfaßten Bänden war das Urheberrecht erloschen und ihrer Aufnahme in das Nachdruckwerk stand nichts entgegen. Das Landgericht hatte angenommen, daß der Nachdruck des Titels eine teilweise Verletzung des Schutzrechtes an dem noch nicht freigewordenen Teil des Werkes in sich schloß. Diese Auffassung hielt das Berufungsgericht nicht fest; das Reichsgericht schloß sich ihm an. Die Schutzfrist für die von Brehm verfaßte zweite Auflage lief am 31. Dezember 1914 ab; von da an konnte diese Auflage mit ihrem Titel von jedermann nachgedruckt werden. Wenn der Titel eines Werkes in Verbindung mit ihm gebraucht wird, kann er hinsichtlich des Schutzes kein anderes Schicksal beanspruchen als das Werk selbst. Bei einem durch Hinzufügen von anderen Bänden sich vergrößernden Werk, das nach und nach in verschiedenen Auflagen erscheint, wird durch die Tatsache solcher Neuauflagen und der dabei eintretenden Hinzufügungen Lauf und Ablauf der Schutzfristen für frühere Auflagen nicht gehemmt oder verändert. Auch für Sammelwerke liegen die Verhältnisse nicht anders. Das Berufungsgericht hatte der Klage aus dem Gesichtspunkt des unlauteren Wettbewerbes stattgegeben, indem es annahm, daß der Titel des Werkes sich als besondere Bezeichnung einer Druckschrift darstelle, deren sich der beklagte Verlag wegen der bestehenden Verwechslungsgefahr nicht bedienen dürfe; der in kleinen Buchstaben auf dem Titelblatt beigefügte Zusatz, daß es sich um eine Auswahl und Bearbeitung handle, schließe die Verwechslungsgefahr um so weniger aus, als er auf dem Umschlag und dem Buchrücken fehle. Das Reichsgericht entschied, daß hier das Tatbestandsmerkmal der besonderen Bezeichnung einer Druckschrift verkannt sei. Darunter ist gemeinhin zu verstehen eine Bezeichnung, die dazu bestimmt und geeignet ist, das Bezeichnete von anderen Dingen zu unterscheiden. Begrifflich entfällt das, wenn es sich nicht um verschiedene Dinge handelt, sondern um eine und dieselbe Druckschrift, die nur in verschiedenen Auflagen erschienen ist. Im Verhältnis zu der zweiten Auflage sind die späteren Auflagen nicht etwas wesentlich anderes und besonderes, auch wenn sie inhaltlich erweitert und verbessert sind;

sie können also den Titel „Brehms Tierleben" für sich nicht als eine besondere Bezeichnung in Anspruch nehmen. Auch der Grundsatz der Priorität, der die hinter einem Unterscheidungszeichen stehende Erwerbstätigkeit auch gegen an sich einwandfreie, aber eine Verwechslungsgefahr begründende Handlungen schützt, war hier nicht anwendbar; denn der gemeinfreien zweiten Auflage gegenüber, die von jedem mit ihrem Titel nachgedruckt werden durfte, konnte die vierte Auflage keine Prioritätsansprüche erheben. Wenn der Kläger dem von ihm verlegten Werk zur Abhebung von älteren Auflagen den aus einer besonderen Bezeichnung erfließenden Schutz geben wollte, mußte er eine Titelbezeichnung schaffen, die hierfür die tatsächlichen Grundlagen abgab. Fehlte es aber an einer besonderen Bezeichnung, so brauchte auf die Verwechslungsmöglichkeit nicht näher eingegangen zu werden. Man konnte auch, wenn nicht bestimmte Irreführungshandlungen vorlagen, kaum von einem zu schützenden Verkehrsbedürfnis sprechen; denn wer ein solches Werk kauft, vergewissert sich in der Regel zunächst selbst, ob er das ganze Werk oder eine Bearbeitung in Auswahl erhält. Daß eine solche vorlag, war aus dem Titelblatt zu ersehen. Für die Besonderheit der Titelbezeichnung war das aber überhaupt nicht von Belang. Auch die Annahme ließ sich nicht halten, daß eine besondere Bezeichnung einer Einrichtung des Geschäfts des Klägers vorliege, die innerhalb der beteiligten Geschäftskreise als dessen Kennzeichen angesehen wurde. Es handelte sich nur um ein Erzeugnis des geschäftlichen Unternehmens des Klägers, nicht aber um ein Verlagsunternehmen im Sinne eines Verlagsgeschäfts oder eines gesonderten Teils, einer Abteilung eines solchen. Derartige Erzeugnisse können nicht Einrichtungen des Geschäfts gleichgestellt werden. Endlich versagte auch der Hinweis auf das allgemeine Verbot eines gegen die guten Sitten verstoßenden Wettbewerbs. Das Berufungsgericht hatte ausgeführt, daß der beklagte Verlag durch die Wahl derselben Titelbezeichnung einen Teil des Ansehens, das der klagende Verlag durch wissenschaftliche Weiterbearbeitung des Werkes erworben hatte, auf das Nachdruckwerk übertrage und somit fremde Arbeitsergebnisse zur Förderung eigenen Wettbewerbs in irreführender Weise ausnütze. Damit war der Begriff des unlauteren Wettbewerbs verkannt. Wo die Urheberschutzgesetzgebung ausdrücklich und absichtlich einen Schutz für einen gewissen Tatbestand ausschließt, kann ein solcher auch nicht aus allgemeinen Gesichtspunkten hergeleitet werden. Der beklagte Verlag hatte dem freigewordenen Werk keinen anderen Titel gegeben, sondern nur den schon vorhandenen belassen. Das verstieß nicht gegen das Anstandsgefühl aller billig und recht denkenden Menschen, daher auch nicht gegen die guten Sitten. Sehr häufig werden dann, wenn ein Werk gemeinfrei und infolgedessen befugterweise nachgedruckt wird, die vom früheren Verleger geleisteten wissenschaftlichen und wirtschaftlichen Aufwendungen dem Nachdruckenden teilweise zugute kommen; das liegt aber in der Natur der Sache, weil der Urheberschutz zeitlich begrenzt ist. Vom Standpunkt der guten Sitten aus zu verlangen, daß ausdrücklich angegeben werde, welche Auflage nachgedruckt oder bearbeitet wird, geht in dieser Allgemeinheit nicht an. Daß besondere Irreführungshandlungen vorlagen, war nicht festgestellt. Die Klage war auch auf Verletzung des Eigentumsrechts gestützt worden. Hierfür war kein Raum; der Anspruch auf Unterlassung einer Eigentums- oder Besitzstörung ist da ausgeschlossen, wo der Eigentümer zur Duldung verpflichtet ist. (I, 21. Oktober 1925.) Amtl. Sammlg. S. 2—8.

Vgl. Bd. 75 S. 373.

3. **Valutaspekulation. Termingeschäft. Reichsregierung. Rückwirkung. Tafelgeschäft.** (RVerf. Art. 52; BGB. §§ 762, 764; BörsG. §§ 58, 96; DevO. vom 8. Nov. 1924; ValSpekVO. vom 8. Mai 1923; VO. des Reichswirtschaftsministers über Börsentermingeschäfte in Wechseln und ausländischen Zahlungsmitteln vom 7. März 1925.) Am 5. März 1924 wurde ein Geschäft über 3000 Pfund Sterling, Auszahlung London zum Kurs von 115, Lieferung zum 31. Mai 1924, Pariser Usancen, abgeschlossen. Da der französische Frank in der nächsten Zeit stark anstieg, schlossen die Parteien ein Deckungsgeschäft über 345000 Franken, Auszahlung Paris zum Kurs von 67, Lieferung zum gleichen Tag, Londoner Usancen. Der Klage auf Zahlung des aus dem zweiten Geschäft sich ergebenden Überschusses über das erste Ge-

schäft wurden die Einreden des Spiels und des Differenzgeschäfts entgegengehalten. Das Berufungsgericht gab der Klage statt. Die Revision des Beklagten hatte Erfolg. Das Geschäft, aus dem die eingeklagte Forderung hervorging, war Baissespekulation in französischen Franken. Beide Vertragsteile waren in das Handelsregister eingetragen. Demgemäß konnte der Beklagte gegenüber Ansprüchen aus Börsentermingeschäften in Waren oder Wertpapieren, die zum Börsenterminhandel zugelassen sind, nach dem Börsengesetz einen Einwand auf Grund der Vorschriften über Spiel- und Differenzgeschäfte nicht erheben. Durch die Verordnung vom 7. März 1925 ist diese Vorschrift mit rückwirkender Kraft bis zum 1. Januar 1924 auch auf Börsentermingeschäfte in Wechseln und ausländischen Zahlungsmitteln, die zum Börsenterminhandel nicht zugelassen sind, ausgedehnt worden. Der Beklagte hatte die Rechtsgültigkeit dieser Verordnung bestritten, weil nur die Reichsregierung, nicht aber der Reichswirtschaftsminister sie hätte erlassen dürfen. Das Börsengesetz sieht eine solche Befugnis allerdings nur für die Reichsregierung vor; mit dieser Bezeichnung ist aber nicht immer das gesamte Reichskabinett, sondern unter Umständen auch der zuständige Reichsminister gemeint. In der gemeinsamen Geschäftsordnung der Reichsministerien vom Jahr 1924 ist ausdrücklich bestimmt, daß, wenn die Reichsregierung durch Gesetz ermächtigt wird, Rechtsnormen durch Verordnung zu erlassen, in der Regel der zuständige Minister für die Reichsregierung handelt, wenn nicht nach dem erkennbaren Willen des Gesetzgebers die ausdrückliche Zustimmung des Gesamtministeriums erforderlich sein soll. Im vorliegenden Falle handelte es sich um eine Rechtsverordnung, die aus rein wirtschaftlichen Gründen hervorgegangen war, nur ein einzelnes, eng begrenztes Gebiet regeln sollte und nur als für eine vorübergehende Zeitdauer gültig gedacht war; es konnte hiernach nicht angenommen werden, daß der Gesetzgeber die Ermächtigung nur dem Gesamtministerium erteilen wollte. Unzulässig war es aber, daß der Verordnung rückwirkende Kraft verliehen wurde. Der Gesetzgeber hat die rechtliche Macht, seinen Bestimmungen rückwirkende Kraft beizulegen; dieser Grundsatz gilt auch für Rechtsverordnungen, wenn die ihnen zugrunde liegende Ermächtigung in diesem Sinne lautet. Da die Anordnung der Rückwirkung eines Gesetzes immer etwas Ungewöhnliches darstellt, weil sie eine nachträgliche Änderung von vertraglichen Rechtsbeziehungen enthält, mit der die Beteiligten beim Vertragsschluß nicht rechnen konnten, muß das deutlich zum Ausdruck kommen. Im vorliegenden Falle traf das nicht zu. Der Zweck der Ermächtigung war, den Terminhandel in Devisen durch Ausschließung der Spiel- und Differenzeinreden zu fördern, da davon eine günstige Einwirkung auf die deutsche Valuta erhofft wurde; für diesen Zweck war es aber ohne Bedeutung, wie es mit früher abgeschlossenen Geschäften gehalten wurde. Die Einreden waren also zulässig und in ihrer Wirkung zu prüfen. Die Nichtigkeit des abgeschlossenen Geschäfts ergab sich auch nicht aus anderen Vorschriften. Durch die Devisenordnung sind Termingeschäfte in ausländischen Zahlungsmitteln gegen inländische Zahlungsmittel untersagt; ein solches Geschäft lag nicht vor. Auch die Valutaspekulationsverordnung traf nicht zu. Diese verbietet, Zahlung mit Zahlungsmitteln oder Forderungen in ausländischer Währung bei inländischen Geschäften auszubedingen. Termingeschäfte in ausländischer Währung gegeneinander sind hierdurch so wenig verboten wie Tafelgeschäfte (Baraustausch einer ausländischen Währung gegen eine andere ausländische Währung). Die Sache wurde zurückverwiesen. (I, 21. Oktober 1925.) Amtl. Sammlg. S. 8—14.

4. **Aktienrecht. Kapitalerhöhung. Gute Sitten.** (HGB. §§ 185, 274, 278; BGB. § 138.) Zwei Aktiengesellschaften, welche Brauereien betrieben, vereinigten sich zu einer Kommanditgesellschaft. Nachträglich entstanden Mißhelligkeiten. Die eine Aktiengesellschaft besaß schon einen Teil der Aktien der anderen Gesellschaft und suchte weitere zu erwerben. Die andere Aktiengesellschaft beschloß daraufhin die Erhöhung ihres Stammkapitals von 600 000 Mark auf 850 000 Mark durch Ausgabe von 175 000 Mark Stammaktien und 75 000 Mark Vorzugsaktien; diese sollten bei der Wahl des Aufsichtsrates, der Satzungsänderung und der Auflösung der Gesellschaft ein zehnfaches Stimmrecht haben. Das gesetzliche Bezugsrecht der Aktionäre wurde ausgeschlossen, viel-

mehr die Begebung der Aktien dem Aufsichtsrat vorbehalten. Die Vertreter der ersten Aktiengesellschaft hatten gegen den Beschluß gestimmt und klagten auf Feststellung seiner Nichtigkeit. Das Berufungsgericht gab der Klage statt. Die Revision hatte keinen Erfolg. Die Schaffung von Vorzugsaktien mit mehrfachem Stimmrecht und der Ausschluß des allgemeinen Bezugsrechts der Aktionäre für die neuen Aktien war zulässig; auch darin, daß die Mehrheit der Aktionäre hierdurch ihre eigenen Interessen verfolgte, lag noch kein Verstoß gegen die guten Sitten, selbst wenn es hierbei ohne eine Schädigung der Minderheit nicht abging. Gegenüber dem Bestreben der Minderheit, durch Ankauf von Aktien sich einen größeren Einfluß auf die Geschäftsführung der beklagten Aktiengesellschaft zu verschaffen, konnten Abwehrmaßregeln der Mehrheit auf Erhaltung der eigenen Machtstellung ihre Berechtigung haben. Mit Recht wurde aber die Art und Weise des Vorgehens der Mehrheit beanstandet. Es war festgestellt, daß der für die Erhöhung des Stammkapitals angegebene Grund nur vorgeschützt war, um unter diesem Deckmantel die Interessen der Mehrheit zu betreiben. Für die Gesellschaft, die kein Kapital notwendig hatte und der aus der Erhöhung des Stammkapitals nur geringe Werte zufließen konnten, erwuchs aus dieser Maßnahme kein wesentlicher Vorteil, da die Papiermarkeinzahlungen auf die zu niederen Kursen ausgegebenen Aktien nur einen ganz geringen Wert hatten. Im Ergebnis näherte sich das ganze Vorgehen der Zuwendung von Gratisaktien an den Vorstand und den Aufsichtsrat. Durch die Schaffung der Vorzugsaktien mit zehnfachem Stimmrecht wurde der Minderheit jede Möglichkeit der Einwirkung auf die Geschäftsführung entzogen; diese Knebelung ging über das Maß einer erlaubten Abwehr gegen die Bestrebungen der klagenden Aktiengesellschaft auf Vergrößerung ihres Einflusses weit hinaus. In einer solchen einseitigen Verfolgung der eigenen Interessen auf Kosten der Minderheit konnte ohne Rechtsirrtum ein Verstoß gegen die guten Sitten erblickt werden, der zugleich eine Verletzung des Grundsatzes der gleichmäßigen Behandlung aller Aktionäre darstellte. Das bewirkte die Nichtigkeit des Beschlusses, (II, 23. Oktober 1925.) Amtl. Sammlg. S. 14—19.

Vgl. Bd. 68 S. 245; Bd. 105 S. 373; Bd. 107 S. 72; Bd. 108 S. 41, 322, 327.

5. **Aktienrecht. Bilanz. Anfechtung.** (HGB. §§ 39, 40, 41, 260, 271.) Zwei Aktiengesellschaften, welche Brauereien betrieben, vereinigten sich zu einer Kommanditgesellschaft; persönlich haftende Gesellschafter waren je ein Vorstandsmitglied der beiden Gesellschaften, Kommanditisten die beiden Gesellschaften selbst. Nach dem Gesellschaftsvertrag waren die persönlich haftenden Gesellschafter nur gemeinschaftlich oder in Gemeinschaft mit einem Prokuristen zur Vertretung der Gesellschaft berechtigt; zu gewissen Handlungen, insbesondere zur Feststellung der Bilanz, war auch die Mitwirkung eines Verwaltungsbeirats notwendig. In der Generalversammlung der einen Aktiengesellschaft wurde eine Bilanz vorgelegt, in der 50000 Mark als Gewinn aus der Beteiligung der Gesellschaft an der Kommanditgesellschaft eingetragen waren. Dementsprechend wurde die Verteilung einer Dividende von 6% beschlossen und dem Vorstand und Aufsichtsrat Entlastung erteilt. Die andere Aktiengesellschaft, die einen Teil der Aktien besaß, widersprach dem Beschluß und erhob Anfechtungsklage. Der Beschluß wurde für nichtig erklärt. Bei der Bilanzaufstellung dürfen nur solche Vermögensgegenstände berücksichtigt werden, die im maßgebenden Zeitpunkt rechtlich zum Vermögen der Gesellschaft gehören. Da sowohl für die Aktiengesellschaft wie für die Kommanditgesellschaft das Geschäftsjahr am 30. September ablief, hatte in diesem für die Bilanzaufstellung maßgebenden Zeitpunkt die Aktiengesellschaft noch keinen Gewinnanspruch gegen die Kommanditgesellschaft. Daran wurde auch durch den Umstand nichts geändert, daß zur Zeit der Bilanzaufstellung ein solcher Anspruch feststand und später tatsächlich der Betrag an die Aktiengesellschaft abgeliefert wurde. Die Bilanz der Kommanditgesellschaft war von einem persönlich haftenden Gesellschafter und einem Prokuristen unterzeichnet. Das Reichsgericht erklärte das für ungenügend. Die Aufstellung der Bilanz ist eine höchstpersönliche Rechtshandlung, für welche bei einer Kommanditgesellschaft die Unterschrift aller persönlich haftenden Gesellschafter verlangt werden muß; eine Vertretung durch einen Prokuristen ist nicht zu-

lässig. Eine Ausnahme hiervon hätte nur gemacht werden können, wenn sich aus der Sachlage zweifellos ergeben hätte, daß die Kommanditgesellschaft die Bilanz trotz des Mangels einer Unterschrift als richtig anerkannte. Das war nicht nachgewiesen. Der andere persönlich haftende Gesellschafter hatte allerdings an der Beratung der dem Verwaltungsbeirat vorgelegten Bilanz teilgenommen und sie nicht beanstandet; die Bilanz war aber hierbei in einzelnen Punkten noch als ergänzungsbedürftig bezeichnet worden und mußte mit diesen Ergänzungen von den beiden persönlich haftenden Gesellschaftern anerkannt werden. Auch aus diesem Grunde konnte der in dieser Bilanz festgestellte Gewinnanteil der beklagten Gesellschaft von dieser nicht als Gewinn in ihre Bilanz eingestellt werden. Es war auch nicht zu beanstanden, daß das Berufungsgericht nicht nur die Genehmigung der Bilanz, sondern auch die Entlastung des Vorstands und Aufsichtsrats für nichtig erklärte. Es ist allerdings möglich, daß trotz Beanstandung der Bilanz die Geschäftsführung des Vorstands und Aufsichtsrats als ordnungsmäßig anerkannt wird; demgemäß äußert nicht jeder Anfechtungsgrund für den Beschluß über Genehmigung der Bilanz auch ohne weiteres seine Wirkung auf den Entlastungsbeschluß. Immerhin hängen die Fragen eng zusammen, besonders dann, wenn geltend gemacht wird, daß die Rechnungslegung nicht in Ordnung geht. Wird in einem solchen Fall die Genehmigung der Bilanz mit Grund angefochten, so kann aus dem gleichen Grund auch die auf die fehlerhafte Bilanz hin ausgesprochene Entlastung beanstandet werden. (II, 23. Oktober 1925.) Amtl. Sammlg. S. 19—27. Vgl. Bd. 34 S. 57; Bd. 44 S. 66; Bd. 49 S. 141; RGSt. Bd. 7 S. 87; Bd. 8 S. 424.

6. **Beschlagnahme deutscher Wertpapiere im Ausland. Kommissionsgeschäft. Selbsteintritt.** (HGB. §§ 384 400.) Durch Vermittlung einer Bank wurden amerikanische Wertpapiere gekauft, die in London im Depot der dortigen Filiale der Dresdener Bank blieben. Am 29. Juli 1914 gab der Käufer der gleichen Bank den Auftrag, die Wertpapiere wieder zu verkaufen; diese bestätigte am gleichen Tage, daß sie die Wertpapiere

selbst gekauft habe und erteilte hierüber Schlußnote vereinbarten Preis in englischer Währung oder nur für Mitte August; zugleich beauftragte sie die Filiale der Dresdener Bank in London, die Wertpapiere weiter zu verkaufen. Der Verkäufer beanstandete den berechneten Kurs; die Käuferin gab die Beanstandung an die Filiale der Dresdener Bank in London weiter. Ob sie erledigt wurde, ließ sich nicht feststellen. Der Klage auf Zahlung des in der Schlußnote festgestellten Betrags wurde zum Teil stattgegeben. Die Revision der beklagten Bank hatte Erfolg. Die Schlußnote ließ keinen Zweifel über, daß die beklagte Bank die Wertpapiere gekauft habe; daß sie zugleich den Verkaufsauftrag an die Londoner Filiale der Dresdener Bank weitergab, stellte sich nur als Deckungsgeschäft dar, das die Rechtsverhältnisse zwischen den Parteien nicht berührte. Ebensowenig war von Belang, daß der Kläger den berechneten Kurs bemängelt und daß dann der Beklagte in London angefragt hatte, ob der Kurs stimme; mit dem Bestand des Geschäfts, das nach dem Londoner Kurs abzuschließen war, hatte das nichts zu tun. Das Schwergewicht des Rechtsstreits lag aber in zwei anderen Punkten. Zunächst fragte sich, zu welchen Lasten es ging, daß die Wertpapiere infolge des Kriegs in England beschlagnahmt wurden. Das Reichsgericht ist stets davon ausgegangen, daß, wenn gekaufte Wertpapiere Eigentum des deutschen Kunden einer Bank geworden und mit dessen Willen in einem englischen Depot geblieben sind, die Beschlagnahme den Kunden trifft, wenn nicht der Bank ein Verschulden daran nachzuweisen ist. Ein solcher Fall lag aber hier nicht vor, da ein Eigentumserwerb des Klägers an den Wertpapieren nicht festgestellt war. Diese Frage war allerdings nach deutschem Recht zu beurteilen, so daß es genügt hätte, wenn die Londoner Filiale der Dresdener Bank den Willen gehabt hätte, die Wertpapiere für den Kläger zu besitzen, oder wenn die beklagte Bank das Eigentum an ihnen auf den Kläger hätte übertragen wollen. Nach dem Vorbringen beider Parteien traf das nicht zu. Das zwischen den Parteien abgeschlossene Geschäft betraf also nicht das Eigentum des Klägers, sondern dessen Anspruch auf die Wertpapiere aus dem vorhergegangenen

Geschäft. Die zweite Frage war, ob der Kläger den einen entsprechenden Preis in Mark fordern konnte. Das Berufungsgericht hatte angenommen, daß Zahlung in englischer Währung vereinbart sei, weil der Kurs in London der Berechnung des Preises zugrunde gelegt wurde. Das Reichsgericht erklärte das nicht für ausreichend. Der Kläger hatte die Wertpapiere einige Zeit vorher durch Vermittlung der beklagten Bank gekauft und in deutscher Währung bezahlt; daraus ließen sich möglicherweise Schlüsse auf den Willen der Parteien ziehen, daß auch der neue Preis in deutscher Währung zu bezahlen sei. Die Londoner Filiale der Dresdener Bank hatte allerdings der beklagten Bank den Betrag, den sie für die Wertpapiere eingenommen hatte, in englischer Währung gutgeschrieben; es fragte sich aber, ob das sich nicht nur auf das Deckungsgeschäft bezog und die Rechtsverhältnisse der Parteien unberührt ließ. Der Bankkunde durfte allerdings durch den Selbsteintritt seiner Bank in das Geschäft nicht schlechter gestellt werden, als wenn der Auftrag in London ausgeführt worden wäre; in diesem Falle wäre aber das Geld, da es erst Mitte August fällig war, in England beschlagnahmt worden. (I, 24. Oktober 1925.)

Amtl. Sammlg. S. 27—32.

Vgl. Bd. 101 S. 124; Bd. 108 S. 191.

7. **Ehescheidung. Trachten nach dem Leben.** (BGB. § 1566.) Eine Frau, die von ihrem Mann mißhandelt worden war, öffnete in dem gemeinsamen Schlafzimmer den Gashahn, um sich und ihren Mann ums Leben zu bringen. Das Reichsgericht entschied, daß hierin an sich der Tatbestand des Trachtens nach dem Leben zu erblicken sei. Die Frau hatte die Absicht, den Tod ihres Mannes herbeizuführen und betätigte sie durch Handlungen, die auf die Verwirklichung dieser Absicht hinzielten. Daß sie sich gleichzeitig selbst zu töten beabsichtigte, machte nichts aus. Bedenken erregte nur der Umstand, daß die Frau ihrer Tochter Mitteilung von dem Vorhaben gemacht und dieser die Möglichkeit der Vereitelung gegeben hatte. Die Sache wurde zurückverwiesen zur Prüfung, ob eine ernstliche Absicht vorlag. (IV, 26. Oktober 1925.) Amtl. Sammlg. S. 32—34.

Vgl. Bd. 100 S. 114.

8. **Zeitungsverlag. Hauptschriftleiter.** (BGB. §§ 626, 628.) Der Hauptschriftleiter einer Zeitung wurde mit der Verpflichtung angestellt, sie im nationalen Sinne zu führen. Einige Zeit später wurde ein Mitarbeiter der Zeitung, der Mitglied der sozialdemokratischen Partei war, gegen den Widerspruch des Hauptschriftleiters als Schriftleiter und Stellvertreter des Hauptschriftleiters angestellt. Der Hauptschriftleiter trat daraufhin aus. Seiner Klage auf Nachzahlung von Gehalt stellte der Kläger eine Widerklage entgegen, daß ihm keine Ansprüche zustünden. Die Klage wurde abgewiesen; die Widerklage hatte Erfolg. Es handelte sich um einen Dienstvertrag, der unter Berücksichtigung der Eigenart des Zeitungsunternehmens zu beurteilen war. Ein solches Unternehmen verfolgt nicht nur wirtschaftliche Zwecke, es soll auch den politischen Interessen des Leserkreises dienen und dessen geistigen Bedürfnissen nach verschiedenen Richtungen gerecht werden. Zur Erfüllung dieser Aufgabe, deren Bewältigung dem Verleger in der Regel nicht möglich ist, beruft er als seine Gehilfen Schriftleiter, an deren Spitze bei großen Zeitungen ein Hauptschriftleiter zu stehen pflegt. Für den Inhalt der Zeitung ist dieser dem Verleger vertraglich und den Zeitungslesern moralisch verantwortlich. Die wirtschaftliche Gefahr des Unternehmens trägt der Verleger allein und daher liegt es ihm letzten Endes ob, den notwendigen Zusammenhang zwischen den wirtschaftlichen und idealen Aufgaben des Unternehmens aufrecht zu erhalten. Er ist der Herr des Unternehmens und hat die Richtlinien zu bestimmen, inhaltlich deren der Hauptschriftleiter den Inhalt der Zeitung zu gestalten und ihrem Charakter Rechnung zu tragen hat. Da eine gediegene Entwicklung des Unternehmens nur bei gutem Einvernehmen und vertrauensvollem Zusammenarbeiten von Verleger und Hauptschriftleiter denkbar ist, wird der Verleger dem Hauptschriftleiter in reichem Maße Bewegungsfreiheit einräumen und auch bei der Wahl der Mitarbeiter auf seine Wünsche möglichst Rücksicht zu nehmen haben. Das rechtfertigte aber nicht die Auffassung des Klägers, daß es einem Verleger grundsätzlich versagt sei, dem Hauptschriftleiter wider seinen Willen einen Mitarbeiter oder gar einen Stellvertreter

an die Seite zu setzen. Ein solcher Rechtssatz läßt sich aus dem Wesen des Zeitungsverlags und der Stellung, welche der Hauptschriftleiter in ihm einnimmt, nicht herleiten. Anderseits braucht dieser die Einstellung eines Stellvertreters sich dann nicht gefallen zu lassen, wenn dessen Mitarbeiterschaft nach allgemeinen Erfahrungsgrundsätzen oder nach besonderen Umständen des Falles mit der bisher verfolgten politischen, künstlerischen oder literarischen Richtung der Zeitung unvereinbar und wenn ihm, dem Hauptschriftleiter, als einem charaktervollen Mann deshalb oder aus anderen wichtigen Gründen ein Zusammenarbeiten mit dem neuen Schriftleitungsmitglied bei verständiger Würdigung der Sachlage nach Treu und Glauben nicht zuzumuten ist. In diesem Falle hat der Hauptschriftleiter Anlaß zur außerordentlichen Kündigung und Anspruch auf Schadenersatz. So lag aber hier der Fall nicht. Die Tatsache, daß der neue Schriftleiter Sozialdemokrat war, schloß Vaterlandsliebe und nationales Denken und Fühlen bei ihm keineswegs aus. Allerdings hatten die in der Zeitung veröffentlichten politischen und wirtschaftlichen Gedanken den politischen und wirtschaftlichen Zielen der Sozialdemokratie vielfach widersprochen; der neue Schriftleiter hatte sich aber selbst mehrfach mit den Auffassungen seiner Partei in Widerspruch gesetzt und ohne Widerspruch des Hauptschriftleiters an der Zeitung mitgearbeitet. Unter solchen Umständen konnte dem Beklagten der Vorwurf einer Vertragsverletzung nicht gemacht werden. Der Kläger hätte wenigstens den Versuch machen müssen, mit dem neuen Schriftleiter zusammenzuarbeiten; erst dieser Versuch konnte beweisen, ob ein solches Zusammenarbeiten im Gegensatz zu den bisherigen Erfahrungen Zumutungen an ihn stellte, die mit berechtigten Ehrbegriffen, seinen Vertragsrechten oder den Grundsätzen von Treu und Glauben unverträglich waren. (III, 27. Oktober 1925.)

Amtl. Sammlg. S. 34—38.

9. **Lagergeschäft. Zollverschluß.** (HGB. §§ 330, 416, 417; VZG. §§ 27, 108.) Ein Wagen mit Schaumwein wurde an einen Spediteur geschickt mit dem Auftrag, die Sendung zu verzollen und bis zur weiteren Verfügung auf Lager zu nehmen. Mit Zustimmung der

Zollbehörde wurde die Sendung in einem Schiff des Spediteurs unter Zollverschluß eingelagert. Als sie nach einigen Monaten verzollt werden sollte, fehlte ein großer Teil der Flaschen. Die Klage gegen den Spediteur auf Schadenersatz wurde vom Berufungsgericht als dem Grunde nach gerechtfertigt anerkannt. Die Revision des Beklagten führte zur Zurückverweisung. Es handelte sich um keine amtliche Einlagerung; im Falle einer solchen übernimmt die Zollverwaltung die Haftung für die unversehrte Herausgabe der eingelagerten Güter; die Beklagte wäre in diesem Falle nur verpflichtet gewesen, das Vorhandensein der Ware von Zeit zu Zeit zu prüfen. Bei Privatlagern hat der Lagerinhaber den Gewahrsam, auch wenn sie unter Zollverschluß stehen; der Zollverschluß sichert nur die Zollverwaltung gegen die Gefahr, daß die Sachen der Verzollung entzogen werden. Demnach haftete der Beklagte nach den Vorschriften des Lagervertrags. Daß er wegen Überfüllung der amtlichen Zollager die Flaschen bei sich eingelagert hatte, war nicht von Bedeutung. Die Zurückverweisung erfolgte wegen ungenügender Klarlegung tatsächlicher Verhältnisse. (I, 28. Oktober 1925.)

Amtl. Sammlg. S. 38—40.

Vgl. Bd. 48 S. 255; Bd. 67 S. 335; Bd. 84 S. 338.

10. Schleppvertrag. Mitverschulden. (BGB. §§ 254, 431.) Ein Schlepper fuhr mit einem angehängten Kahn auf dem Main zu Tal. Der Kahn war durch eine kurze Trosse mit dem Schlepper verbunden und folgte ihm in einem Abstand von 3—4 Metern; er hatte eigene Bemannung. Unterwegs fiel starker Nebel ein. Bei der Durchfahrt durch eine Brücke stieß der Kahn an einen Pfeiler und wurde beschädigt. Sein Eigentümer klagte gegen den Eigentümer und den Führer des Schleppers auf Schadenersatz. Das Berufungsgericht wies die Klage ab. Die Revision des Klägers hatte Erfolg. Der Schleppvertrag stellte sich als gewöhnlicher Werkvertrag dar, bei dem der Kahn in der Obhut seines Schiffers blieb und der Schlepperführer außer der aus der einheitlichen Führung des Schleppzugs als solcher und den allgemeinen Grundsätzen des Werkvertrags folgenden Obhutspflicht keine besondere Obhut über den Kahn hatte, vielmehr der Kahnschiffer selbst berufen war, für die Sicherheit des Kahnes zu sorgen, insbesondere den Kahn durch sorgfältiges Nachsteuern im Kurs des Schleppers zu erhalten. Nach Lage der Sache war aber ein Mitverschulden des Schlepperführers anzunehmen. Da dieser für die richtige Leitung des Zugs zu sorgen hatte, sprach eine Vermutung dafür, daß der Unfall auf sein Verschulden zurückzuführen war; er hatte also den Entlastungsbeweis zu führen. Nach den maßgebenden Polizeiverordnungen hätte er wegen des dichten Nebels an der nächsten geeigneten Stelle anlegen sollen. Er hatte sich darauf berufen, daß ihm ein Anlegen vor der Brücke nicht möglich war; die Ausführungen des Berufungsgerichts ließen aber nicht erkennen, ob er nicht schon, ehe der Nebel so dicht wurde, daß nach den Polizeiverordnungen ein Anlegen geboten war, mit Rücksicht auf die mit der Durchfahrt durch die Brücke verbundene Gefahr verpflichtet gewesen wäre, die Fahrt zu unterbrechen. Wenn das nicht zutraf, hätte er für die Durchfahrt durch die Brücke besondere Vorsichtsmaßregeln treffen müssen, zumal der Kahn nicht, wie üblich, mit zwei gekreuzten Trossen, sondern nur mit einer Trosse an dem Schlepper befestigt war und sich demzufolge den Bewegungen des Schleppers schwer anpaßte. Auch wenn den Kahnführer ein Verschulden traf, war dies doch nicht als die alleinige Ursache des Unfalls anzusehen. (I, 28. Oktober 1925.)

Amtl. Sammlg. S. 41—46.

Vgl. Bd. 62 S. 212; Bd. 67 S. 12; Bd. 102 S. 49.

11. Schecklauf. Ungerechtfertigte Bereicherung. (BGB. §§ 437, 812; ScheckG. §§ 14, 15, 21; VersVertr. Art. 297, 301; RAusglGes. § 14.) Ein Kaufmann erwarb am 28. Juli 1914 um 7400 Mark einen Scheck über 9000 Franken auf eine Pariser Bank, den er zur Zahlung einer Schuld gegenüber einer französischen Gesellschaft verwenden wollte. Er sandte ihn noch vor Kriegsausbruch an diese Gesellschaft; er wurde aber nicht eingelöst. Die Bank, die den Scheck verkauft hatte, besaß bei der Pariser Bank, auf die er gezogen war, ein Guthaben und zeigte ihr den Scheck an; nach dem Krieg wurde das Guthaben beschlagnahmt. Im Ausgleichsverfahren erhielt sie statt 9000 Franken nur 18 Franken zurück. Der Käufer des Schecks klagte gegen die Bank, von der er den Scheck erworben hatte, auf Zahlung von 7400 Mark nebst Zinsen seit dem 1. August 1914, hilfweise auf 9000 Franken mit der Begründung, daß die Bank die ihr obliegende Gegenleistung nicht gemacht habe. Die Bank wurde zur Zahlung von 15 Mark nebst Zinsen seit der Klagezustellung verurteilt. Der Verkäufer eines Schecks hat dafür einzustehen, daß der Scheck in Ordnung geht, daß die vorgeschriebene Form eingehalten ist, daß die Unterschriften echt sind, daß er nicht für unwirksam erklärt ist. Eine Haftung für den Eingang der Schecksumme übernimmt er nicht. Ist der Verkäufer zugleich Aussteller des Schecks, so kann gegen ihn der im Scheckgesetz geregelte Regreß genommen werden; das kam hier nicht in Frage, weil der Kläger nicht im Besitz des Schecks war. Die Tatsache, daß der Scheck nicht eingelöst worden war, konnte bürgerlich-rechtliche Ansprüche gegen die beklagte Bank nicht begründen, da ihr eine schuldhafte Vertragsverletzung nicht nachgewiesen war. Auch eine ungerechtfertigte Bereicherung war nicht gegeben. Der Scheck befand sich noch im Umlauf; die Vorlegungsfrist für ihn war nach den Vorschriften des Versailler Vertrags und den dazu ergangenen Gesetzen und Verordnungen des Reichs über die Verlängerung von Fristen noch nicht abgelaufen. Es bestand also die Möglichkeit, daß aus dem Scheck gegen die beklagte Bank Regreß genommen wurde. Die Klage war deshalb vom Berufungsgericht mit Recht abgewiesen worden.[1]) (II, 30. Oktober 1925.)

Amtl. Sammlg. S. 46—50.

12. **Enteignung. Geldentwertung.** (RVerf. Art. 153; RSiedlG. § 15; PrAG. z. RSiedlG. § 6.) Auf Grund des Reichssiedlungsgesetzes wurde ein Grundstück enteignet und die zu zahlende Entschädigung am 31. Januar 1922 auf $5^1/_2$ Millionen Mark festgesetzt. Auf Antrag des Enteigneten wurde die Entschädigung vom

---

[1]) Die Veröffentlichung enthält einen Widerspruch, da einerseits angegeben ist, daß die Beklagte zur Zahlung von 15 Mark verurteilt wurde, anderseits, daß die Klage abgewiesen wurde. Nach den Gründen ist Abweisung anzunehmen.

Oberlandeskulturamt am 5. Oktober 1922 auf 10 Millionen, am 28. März 1923 auf 14 Millionen Mark erhöht. Dieser Betrag wurde am 1. April 1923 bezahlt. Als maßgebender Tag für die Wertfestsetzung war der 31. Januar 1922 erklärt worden. Der frühere Eigentümer des Grundstücks klagte auf Zahlung von weiteren 4000 Goldmark mit der Begründung, daß der Goldwert der ihm bezahlten 14 Millionen Papiermark am 31. Januar 1922 sich auf 250000 Goldmark berechnet habe, zur Zeit der Zahlung aber erheblich geringer gewesen sei. Das Kammergericht gab der Klage statt; das Reichsgericht wies sie ab. Das Reichssiedlungsgesetz gestattet, daß die Festsetzung der Entschädigung landesrechtlich geregelt wird; demgemäß war das im preußischen Ausführungsgesetz hiefür vorgesehene Verfahren, wornach die Entschädigung durch die Kulturämter zu erfolgen hat, zulässig. Der Rechtsweg für den vorliegenden Streit war dadurch nicht ausgeschlossen; da auf Zahlung der im Verwaltungsweg festgesetzten Entschädigungssumme geklagt werden kann, muß das auch möglich sein, wenn nach der Zahlung noch weitere Ansprüche erhoben werden mit der Begründung, durch die Zahlung in entwertetem Geld sei die Forderung nicht beglichen. Inhaltlich war der Anspruch nicht begründet. Allerdings hatte das Oberlandeskulturamt in seiner Entscheidung vom 28. März 1923 außer acht gelassen, daß die Kaufkraft der Papiermark seit dem 31. Januar 1922 erheblich gesunken war; aber diese Entscheidung war rechtskräftig, für den Kläger maßgebend und auch für das Gericht bindend. Der Kläger wollte eine Erhöhung der vom Oberlandeskulturamt festgesetzten Summe herbeiführen; das war nicht möglich. (VI, 3. November 1925.) Amtl. Sammlg. S. 50—53.

Vgl. Bd. 107 S. 228; Bd. 109 S. 259.

13. **Geschäftsaufsicht.** (GeschAufsVO. §§ 9, 13, 20, 33, 37, 41, 60.) Ein Kaufmann, gegen den Geschäftsaufsicht angeordnet war, wurde zu einer Lieferung verurteilt; durch einen Beschluß des Amtsgerichts wurde er ermächtigt, die Lieferung abzulehnen. Der Käufer setzte ihm eine Frist zur Lieferung. Nachdem diese verstrichen war, deckte er sich ein und verlangte einen Schadenersatz von 4500 Goldmark. Zur Herbeiführung

eines Zwangsvergleichs reichte der Kaufmann ein Verzeichnis seiner Gläubiger ein; in diesem war der Käufer mit 25 000 000 Mark angeführt. Am 26. Oktober 1923 wurde der Zwangsvergleich abgeschlossen; den Gläubigern wurden 60 v. H. ihrer Forderungen bewilligt. Der entsprechende Teilbetrag mit 15 000 000 Mk. wurde dem Käufer am 17. November 1923 übersandt. Er klagte auf Zahlung eines Betrages von 60 v. H. aus 4500 Goldmark nebst Zinsen seit dem 1. Dezember 1923; eine Forderung des Restes behielt er sich vor. Der Anspruch wurde dem Grunde nach als gerechtfertigt anerkannt. Nach den Vorschriften über die Geschäftsaufsicht wird jeder am Vergleichsverfahren beteiligte Gläubiger durch den Vergleich berechtigt und verpflichtet; er darf die Vergleichsquote fordern, muß sich aber mit ihr begnügen. Über die Höhe der Forderungen wird aber im Vergleichsverfahren nur insoweit verhandelt und entschieden, als das Stimmrecht in Frage kommt. Jeder Gläubiger ist berechtigt, einen Streit über die Höhe seiner Forderung im Zivilprozesse auszutragen. Er hat dieses Recht sogar im Konkurs, wo doch das Gericht eine öffentliche Aufforderung zur Anmeldung der Forderungen erläßt; um so mehr im Aufsichtsverfahren, wo das vom Schuldner eingereichte Verzeichnis der Gläubiger dem Vergleichsverfahren zugrunde gelegt wird. Für die eingetragenen Forderungen ist der rechtskräftig bestätigte Vergleich wirksam, auch wenn die Gläubiger im Verfahren keine Erklärungen abgegeben oder gegen den Vergleich gestimmt haben; Forderungen, die im Verzeichnis nicht eingetragen sind, bleiben aber vom Vergleich unberührt. Der Anspruch des Klägers beruhte auf einem gegenseitigen Vertrag, der zur Zeit der Anordnung der Geschäftsaufsicht von beiden Teilen noch nicht erfüllt war; er wurde also durch das Aufsichtsverfahren nicht betroffen. Daran wurde auch durch die Umänderung der Forderung in einen Schadenersatzanspruch nichts geändert, wohl aber, wenn die Lieferung auf Grund der Ermächtigung des Gerichts abgelehnt und daraufhin Schadenersatz wegen Nichterfüllung verlangt wurde. Das Berufungsgericht hatte angenommen, daß die Ablehnung ausdrücklich erklärt werden müsse; das Reichsgericht entschied aber, daß auch eine aus schlüssigen Handlungen zu entnehmende Erklärung von genügender Deutlichkeit als wirksam anzusehen sei. (VI, 3. November 1925.) Amtl. Sammlg. S. 54—58.

14. Sanatorium. Haftung für eingebrachte Sachen. (BGB. §§ 701—703.) Einem Kurgast eines Sanatoriums kam, während er im Speisesaal das Mittagessen einnahm, sein Pelzmantel abhanden, der im Vorraum an einem Kleiderständer aufgehängt war. Er klagte gegen die offene Handelsgesellschaft, der das Sanatorium gehörte, auf Schadenersatz. Das Landgericht entsprach der Klage, das Berufungsgericht wies sie ab. Die Vorschrift, daß Gastwirte, die gewerbsmäßig Fremde zur Beherbergung aufnehmen, für deren eingebrachte Sachen haften, greift nicht Platz gegenüber Betrieben, die Fremden Unterkunft und Verpflegung nicht zum Zwecke der Beherbergung, sondern zur Ermöglichung oder Erleichterung eines von der Betriebsleitung angewandten Heilverfahrens gewähren. Sie will den Gast, der sich in der Regel über die Einrichtungen eines Gasthofbetriebs und die Persönlichkeit seines Leiters nicht im voraus näher zu unterrichten vermag, gegen die aus dem lebhaften Verkehr wechselnder Personen sich ergebende Gefahr schützen und den Inhaber des Betriebs, der aus dem Verkehr den Vorteil zieht, zum Schutz der Gäste gegen diese Gefahren anhalten. Bei einer in der Hauptsache auf Heilung der Gäste abzielenden Veranstaltung erscheint dagegen eine solche Belastung des Unternehmers bedenklich und ein Schutz der Gäste deshalb weniger dringend, weil hier der Wechsel der Gäste und der Verkehr dritter Personen weit geringer zu sein pflegt. Ob das zutrifft, muß aus der gesamten Sachlage entnommen werden. Wenn der Hauptzweck des Betriebs auf die Beherbergung der Gäste gerichtet ist und diese Beherbergung nur in Einzelheiten oder auf besonderen Wunsch nach den Bedürfnissen der von einem größeren oder kleineren Teil der Gäste verfolgten gesundheitlichen Zwecke besonders gestaltet wird, ist die Vorschrift über die Haftung der Gastwirte anwendbar; das trifft aber nicht zu, wo die auf Gewährung von Unterkunft und Verpflegung abzielende Seite des Betriebs der Anwendung des Heilverfahrens untergeordnet und nach deren Anforderungen ausgestaltet wird. Ob der Gewinn des Unternehmers mehr aus dem einen oder anderen Teil des Betriebs herrührt, ist nicht ausschlaggebend, weil auch die Gewährung besonderer Verpflegung und die Eigenart der Unterkunftsräume vielfach den Zwecken des Heilverfahrens dienen, ihm angepaßt sind und dementsprechend auch die Vergütung für Verpflegung und Unterkunft oft einen Teil des Entgelts für die Heilbehandlung mit umfaßt. Im vorliegenden Falle handelte es sich um eine Anstalt, in der kränkliche, schwache und genesende Menschen unter Beobachtung und Behandlung angestellter Ärzte nach besonderen Verfahrensvorschriften der Heilung und Kräftigung zugeführt wurden, andere Personen dagegen nur Aufnahme fanden, soweit sie zur Begleitung oder Bedienung der Kurgäste bestimmt waren oder diese vorübergehend besuchten. Demgemäß fanden die für Gastwirte geltenden Haftungsvorschriften keine Anwendung. Zu prüfen war aber, ob nicht eine Haftung der Gesellschaft durch den Aufnahmevertrag begründet worden war. Der Kläger hatte bei seiner Aufnahme einen Anmeldezettel unterschrieben, auf dem eine Vereinbarung vorgedruckt war. Das Reichsgericht bemerkte, daß die Auslegung dieser Vereinbarung durch das Berufungsgericht zum Teil auf einer Verkennung von allgemeinen Rechtsbegriffen und der Verletzung von Denkgesetzen beruhe. Näher ist die Begründung nicht veröffentlicht. (VI, 3. November 1925.) Amtl. Sammlg. S. 58—60.

15. **Gerichtsvollzieher. Zwangsvollstreckung. Ersatzleistung. Ausländische Währung. Geldentwertung.** (BGB. § 244; ZPO. §§ 753, 754; PrGeschAnwfGV. §§ 48, 59.) Ein Urteil, wornach der Schuldner 51 Pfund Sterling zu bezahlen hatte, wurde am 18. Mai 1923 dem Gerichtsvollzieher zum Zwecke der Zwangsvollstreckung übergeben. Er nahm eine Pfändung vor und setzte den Versteigerungstermin auf 20. Juni 1923 an. Am 28. Juni 1923 teilte er dem Gläubiger mit, der Schuldner habe ihm einen Scheck auf London gegeben; er habe ihn unter Vorbehalt des Eingangs der Summe angenommen, aber die Pfändung bestehen lassen. Am 5. Juli 1923 sandte er dem Gläubiger einen Betrag von rund 24 Millionen Mark mit dem Beifügen, ein Geschäftsfreund des Schuldners habe diesen Betrag für den Scheck bezahlt. Mit

der Begründung, daß der Betrag nur den Gegenwert für 32 Pfund Sterling darstelle, klagte der Gläubiger gegen den preußischen Staat auf Schadenersatz. In zwei Instanzen wurde der Klage in der Weise stattgegeben, daß der Beklagte zur Zahlung des Betrags verurteilt wurde, der am Zahlungstag dem Gegenwert von 19 Pfund Sterling entspreche. Das Reichsgericht wies die Klage ab. Der vollstreckbare Titel lautete auf Zahlung einer in englischer Währung ausgedrückten Geldschuld. Der Schuldner konnte daher sich von seiner Verbindlichkeit nur dadurch befreien, daß er entweder in englischer Währung zahlte oder die Zahlung in Reichswährung vornahm unter Umrechnung nach dem zur Zeit der Zahlung für Berlin maßgebenden Kurswert. Von beiden Möglichkeiten hatte der Schuldner keinen Gebrauch gemacht, vielmehr dem Gerichtsvollzieher nur einen Scheck übergeben. Darin lag eine freiwillige Ersatzleistung des Schuldners zur Abwendung der Zwangsversteigerung der gepfändeten Sachen. Zur Annahme solcher Ersatzleistungen, sei es zahlungshalber, sei es an Zahlungs Statt, ist der Gerichtsvollzieher ohne ausdrücklichen Auftrag des Gläubigers weder verpflichtet noch auch nur berechtigt. Auch die Verwertung des Schecks und die damit verbundene Entgegennahme des Entgelts, das der Erwerber des Schecks zahlte, lag außerhalb der Vollmacht des Gerichtsvollziehers. Der Schuldner wurde weder durch die Überlassung des Schecks noch durch die Zahlung seines Geschäftsfreundes von seiner Schuld befreit. Schuldtilgend wirkte erst die Ablieferung des bezahlten Betrags an den Kläger, aber nur in der Höhe des Betrags, der sich bei Zugrundelegung des Markkurses am Tag der Aushändigung des Geldes ergab. Im übrigen blieb die Forderung bestehen; daß sie nicht beitreibbar sei, war nicht behauptet. Der Kläger war also durch das vertragswidrige Verhalten des Gerichtsvollziehers nicht geschädigt. (III, 3. November 1925.) Amtl. Sammlg. S. 61—63.
Vgl. Bd. 106 S. 77.

16. **Berufsgenossenschaften. Vorstand. Behörde. Ordnungsstrafen. Rechtsweg.** (RVO. §§ 686, 690, 705; BetrRG. §§ 80, 93, 94, 104.) Einem Beamten einer Berufsgenossenschaft wurde von dem Vorsitzenden des

Vorstands ein Verweis erteilt. Der Vorstand wies seinen Widerspruch zurück; das Reichsversicherungsamt lehnte ein Einschreiten im Aufsichtsweg ab. Die Klage auf Feststellung der Rechtsunwirksamkeit des Verweises wurde wegen Unzulässigkeit des Rechtswegs abgewiesen. Berufsgenossenschaften sind Zwangsvereinigungen der Unternehmer versicherungspflichtiger Betriebe; sie haben unter staatlicher Aufsicht die Fürsorge zu verwirklichen, auf welche die durch Betriebsunfälle verletzten Arbeiter Anspruch haben. Obwohl sie Körperschaften des öffentlichen Rechts sind, haben sie doch keine behördliche Eigenschaft. Diese fehlt erst recht ihrem Selbstverwaltungsorgan, besonders dem Vorstand, der aus freier Wahl der Genossenschaftsversammlung hervorgeht. Die Auffassung des Berufungsgerichts, daß der Vorstand der Berufsgenossenschaft eine Behörde sei und darum allein und endgültig über die Rechtmäßigkeit des dem Kläger erteilten Verweises zu befinden habe, traf also nicht zu. Der Rechtsweg wurde aber durch die Vorschriften der Reichsversicherungsordnung ausgeschlossen. Eine Beschwerde gegen die Anordnung des Vorstands ist in dieser nur zugelassen, wenn es sich um Kündigung, Entlassung, Geldstrafen von mehr als 20 Mk. oder vermögensrechtliche Ansprüche handelt. Streitigkeiten über die Zulässigkeit von Verweisen können nicht an das Reichsversicherungsamt gebracht werden; auch wenn die Dienstordnung der Berufsgenossenschaft das zuließe, wäre es nicht rechtsgültig. Daraus ergibt sich, daß sie auch nicht vor den ordentlichen Richter gebracht werden dürfen. Die Entscheidungen des Reichsversicherungsamts über vermögensrechtliche Ansprüche binden die Parteien nicht immer, vielmehr ist in gewissem Umfang der Rechtsweg zugelassen; für Geldstrafen ist er aber ohne Rücksicht auf ihre Höhe ausgeschlossen. Für die Entscheidung über die Rechtmäßigkeit weniger schwerer Ordnungsstrafen, von Verwarnungen und Verweisen, kann der Rechtsweg noch weniger offen stehen. Es macht nichts aus, ob bei der Verhängung einer solchen Ordnungsstrafe ein Verfahrensmangel mit unterlaufen ist. Der Kläger hatte behauptet, daß auch der Betriebsrat hätte gehört werden müssen. Ein Streit hierüber wäre durch den Reichswirtschaftsrat oder dessen

Ersatzbehörde zu entscheiden; die Zuständigkeitsregelung der Reichsversicherungsordnung ist durch die Vorschriften des Betriebsrätegesetzes nicht abgeändert. (III, 3. November 1925.) Amtl. Sammlg. S. 63—67.

Vgl. RGSt. Bd. 34 S. 367; Bd. 38 S. 17.

17. **Gesetzliches Vorkaufsrecht. Nichtigkeit des Vertrags. Enteignung.** (RVerf. Art. 153; BGB. §§ 116, 125, 139, 313; ThürG. über den Verkehr mit Grundstücken vom 16. Mai 1923.) Beim Verkauf eines Hauses in Thüringen übte das Land Thüringen das ihm gesetzlich zustehende Vorkaufsrecht aus. Der Verkäufer wandte ein, der Vertrag sei nichtig, weil nach der mündlichen Vereinbarung der Käufer die Wertzuwachssteuer zu tragen habe, während nach der Beurkundung diese Pflicht den Verkäufer traf. Das Land verwies auf die Vorschrift des Landesrechts, daß die Vertragsteile dem Vorkaufsberechtigten gegenüber sich nicht auf Unvollständigkeit oder Unrichtigkeit des Vertrages berufen können. Die Klage auf Feststellung, daß das Land durch die Ausübung des Vorkaufsrechts keinen Anspruch auf Übereignung des Hauses erworben habe, drang durch. Durch den von dem wahren Willen der Vertragsteile abweichenden, somit rechtsungültigen notariellen Vertrag wurde der Verkäufer nicht verpflichtet, das Eigentum an dem Grundstück zu übertragen; wenn das Landesrecht nach der für das Reichsgericht maßgebenden Auslegung des Berufungsgerichts den Verkäufer zwang, trotzdem im Falle der Ausübung des Vorkaufsrechts eine solche Übertragung auf den Vorkaufsberechtigten vorzunehmen, übte es eine Enteignung aus. Diese beruhte zwar auf gesetzlicher Grundlage und auch die Vorschrift der Reichsverfassung, daß sie zum Wohl der Allgemeinheit dienen müsse, war als erfüllt anzunehmen; eine Gewähr für die von der Reichsverfassung verlangte angemessene Entschädigung war aber nicht geboten, da das Haus gegen eine geringere Gegenleistung enteignet werden sollte, als sie in Wirklichkeit vereinbart war. Das Landesgesetz ließ auch entgegen der Vorschrift der Reichsverfassung den Rechtsweg über die Entschädigung nicht offen. Es war also ungültig. (V, 4. November 1925.) Amtl. Sammlg. S. 67—71.

Vgl. Bd. 104 S. 137; Bd. 107 S. 261; Bd. 109 S. 323.

18. Gesetzliches Vorkaufsrecht. Veräußerungsbeschränkung. (BGB. §§ 883, 1098; EGzBGB. Art. 109, 119; SächsG. über den Verkehr mit Grundstücken vom 20. November 1920.) Beim Verkauf eines Bauplatzes in Dresden übte die Stadt das ihr gesetzlich zustehende Vorkaufsrecht aus. Der Verkäufer bestritt die Zulässigkeit dieses Vorgehens, weil es nicht im öffentlichen Interesse erfolgt sei. Seine Klage auf Feststellung, daß die Stadt nicht berechtigt sei, das Vorkaufsrecht auszuüben, drang in zwei Instanzen durch; das Reichsgericht verwies die Sache zurück. Das gesetzliche Vorkaufsrecht der Stadt war sowohl unter dem Gesichtspunkt der Enteignung wie auch unter jenem der Veräußerungsbeschränkung zu betrachten. Eine Enteignung kann nur dann landesrechtlich zugelassen werden, wenn sie im öffentlichen Interesse liegt; dagegen ist für die landesrechtliche Einführung von Veräußerungsbeschränkungen ein solches Erfordernis nicht aufgestellt. Das Berufungsgericht hatte angenommen, daß es sich nicht nur um eine Veräußerungsbeschränkung handle, weil eine solche sich in dem Verbot erschöpfe, das Grundstück billig zu veräußern, während das Vorkaufsrecht auch zu einem Handeln, zur Überlassung des Grundstücks an den Vorkaufsberechtigten, verpflichte. Demgegenüber hob das Reichsgericht hervor, daß die Einführung eines gesetzlichen Vorkaufsrecht jedenfalls eine Beschränkung der Veräußerung enthalte; der Eigentümer des Grundstücks behält zwar die freie Entschließung darüber, ob und unter welchen Bedingungen er es verkaufen will, das Vorkaufsrecht macht aber, wenn es nach den Vorschriften des Bürgerlichen Gesetzbuchs mit dinglicher Wirkung ausgestattet wird, die Veräußerung zugunsten des Berechtigten unwirksam. Das Vorkaufsrecht begründet auch für den Veräußerer keine neuen Verpflichtungen, sondern gibt diesen nur eine andere Richtung; es verliert auch dadurch, daß es einen Anspruch des Berechtigten auf den Erwerb des Grundstücks begründet, nicht die Eigenschaft einer Veräußerungsbeschränkung gegenüber dem Verpflichteten. Allerdings enthält das Vorkaufsrecht auch eine Belastung des Grundstücks und eine solche ist als eine Beschränkung des Eigentums an dem Grundstück jedenfalls dann anzusehen, wenn sie den Eigentümer verpflichtet, das Grundstück dem Inhaber des aus der Belastung hervorgehenden Rechts zu übertragen. Eine Entziehung des Eigentums (Enteignung) ist in dem gesetzlichen Vorkaufsrecht deshalb nicht zu finden, weil es dem Eigentümer völlige Freiheit läßt, ob er sein Grundstück behalten oder verkaufen will, und ihm nur für den Fall, daß er es verkauft, die Verpflichtung auferlegt, es dem Vorkaufsberechtigten zu übereignen. Die Einreihung des landesgesetzlichen Vorkaufsrechts unter die Eigentumsbeschränkungen (EG. BGB. Art. 109) schließt aber nicht aus, es auch als eine Veräußerungsbeschränkung (EG.BGB. Art. 119) anzusehen; für solche gilt aber das Erfordernis des öffentlichen Interesses nicht. Da nach den Ausführungen des Berufungsgerichts zweifelhaft war, ob es an diesem Erfordernis nur deshalb festgehalten hatte, weil es irrtümlich davon ausgegangen war, die Landesgesetzgebung müsse dieses für die Eigentumsbeschränkung an Grundstücken aufgestellte Erfordernis auch bei Veräußerungsbeschränkungen unter allen Umständen beachten, wurde die Sache zurückverwiesen. (V, 4. November 1925.)

Amtl. Sammlg. S. 72—80.
Vgl. Bd. 107 S. 261.

19. **Kommissionsgeschäft. Beschlagnahme.** (HGB. § 384; VersVertr. Art. 297.) Im Sommer 1916 wurde einer Bank der Auftrag zum Verkauf von Wertpapieren erteilt, die sich bei einer Bank in London befanden. Sie führte den Auftrag aus und schrieb dem Auftraggeber den erzielten Betrag in englischer Währung gut; in Wirklichkeit hatte sie ihn benützt, um eine Schuld, die sie bei der Bank in London hatte, zu begleichen. Der Auftraggeber klagte auf Zahlung des Betrags in Goldmark. In allen Instanzen drang die Klage durch. Die Bank hatte eingewendet, daß ihr Guthaben bei der Bank in London durch den Versailler Vertrag beschlagnahmt worden sei. Das traf nicht zu. Die im Versailler Vertrag vorgesehenen Eingriffe in Privatrechtsverhältnisse bedeuten Ausnahmefälle gegenüber dem normalen Rechtsleben und sind darum streng einschränkend auszulegen. Die Beschlagnahme deutscher Güter, Rechte und Interessen im Ausland ließen die Schuld der beklagten Bank bei der Bank in London als solche unbe-

rührt. Der Umstand, daß der Kläger ein der Beschlagnahme unterliegendes Gut gehabt hätte, wenn die beklagte Bank den Kommissionserlös nicht zur Minderung ihrer Schuld verwendet hätte, bildete keine Grundlage für ein Eingreifen der englischen Behörden. Die beklagte Bank war durch die Sachbehandlung in der vollen Höhe des Kommissionserlöses bereichert worden; diese Bereicherung hatte auch durch die infolge des Krieges entstandenen außerordentlichen Verhältnisse keine Verringerung erfahren. Glaubte die beklagte Bank eine Aufhebung oder Änderung ihrer Verbindlichkeit nach dem Reichsausgleichsgesetz herbeiführen zu können, so wäre es auch ihre Sache gewesen, das Reichswirtschaftsgericht anzurufen. (I, 7. November 1925.)

Amtl. Sammlg. S. 81—85.

20. **Wechselsumme. Abänderung eines Wechsels.** (WO. Art. 4; VO. vom 6. Februar 1924.) Aus einem im Juli 1924 ausgestellten Wechsel, der auf 35000 Mark lautete, wurde auf Zahlung von 35000 Goldmark geklagt. Das Landgericht wies die Klage ab mit der Begründung, daß der Wechsel, um die Klage zu rechtfertigen, auf 35000 Billionen Papiermark lauten müsse. Der Gläubiger änderte ihn dementsprechend ab. Darauf drang die Klage durch. Die Verpflichtung des Beklagten wurde dadurch nicht beseitigt, daß der Kläger nachträglich den Inhalt des Wechsels unbefugt verändert hatte; er haftete nach wie vor aus seiner Unterschrift entsprechend dem ursprünglichen Wechselinhalt, weil die Veränderung den ursprünglichen Text nicht aufhob, sondern völlig unberührt ließ, so daß er nach der (sei es auch nur gedachten) Entfernung des Zusatzes in seiner früheren Form wieder erkennbar wurde. Bei der Prüfung der Frage, wie der Ausdruck M a r k im Wechsel zu deuten sei, ging das Berufungsgericht davon aus, daß auch Wechsel unter Berücksichtigung der Grundsätze von Treu und Glauben und unter Beachtung der Verkehrssitte auszulegen sind, daß aber dabei nach der rechtlichen Natur der Wechselverbindlichkeit nicht auf den Parteiwillen, sondern nur darauf zu achten ist, wie ein Dritter die Urkunde verstehen muß. Hiernach hatte es den Ausdruck Mark im Sinne von Goldmark verstanden, weil zur Zeit der Ausstellung des Wechsels

niemand mehr nach Papiermark rechnete. Das Reichsgericht billigte diese Beurteilung. (II, 10. November 1925.) Amtl. Sammlg. S. 85—88.

Vgl. Bd. 54 S. 386; Bd. 108 S. 78; Bd. 111 S. 280.

21. **Reisegepäck. Kostbarkeit. Aufwertung.** (EVO. §§ 30, 35; HGB. § 465; BGB. § 242.) Ein Ehepaar, das von Berlin nach Wien im Schlafwagen fuhr, führte mehrere Koffer als Handgepäck mit sich. Während der Fahrt beanstandete ein Beamter das Gepäck als übermäßig und verlangte, daß einer der größeren Koffer als Reisegepäck aufgegeben werde. Der Ehemann verweigerte das mit der Begründung, daß der Koffer wertvolle Gegenstände enthalte, kam aber schließlich dem Verlangen nach. Als der Zug in Passau eintraf, fehlte der Koffer. Die Frau behauptete, daß darin ein kostbarer Pelz enthalten gewesen sei, und klagte auf Ersatz des Wertes. Das Berufungsgericht erkannte die Klage dem Grunde nach als gerechtfertigt an. Das Reichsgericht verwies die Sache zurück. Für Kostbarkeiten haftet die Bahn nicht, wenn sie nicht bei Aufgabe des Gepäcks deklariert werden. Hiefür genügt es in der Regel nicht, wenn erklärt wird, das Gepäck habe einen wertvollen Inhalt; je nach Lage der Sache kann aber auch aus einer solchen Erklärung hervorgehen, daß damit Kostbarkeiten im bahntechnischen Sinne gemeint sind. Da die Aufgabe des Koffers als Reisegepäck gerade wegen seines wertvollen Inhalts verweigert wurde, war deutlich zum Ausdruck gebracht, daß es sich um Gegenstände von ungewöhnlichem Wert handelte. Daß diese Erklärung gegenüber dem Packmeister, der das Gepäck in Empfang nahm, nicht wiederholt wurde, machte nichts aus; es handelte sich um eine Gepäckaufgabe im fahrenden Zug und der Ehemann hatte zu dem Packwagen keinen Zutritt. Das Berufungsgericht hatte weiter angenommen, daß die Haftungsbeschränkung (auf 150 Mark für das Kilo und 2000 Mark für die ganze Sendung) nach Treu und Glauben als stillschweigend aufgehoben zu gelten habe. Dieser Auffassung trat das Reichsgericht entgegen. Die Annahme stillschweigender Änderungen der Verkehrsordnung ist mit dem Wesen des Eisenbahnverkehrs schlechthin unverträglich. Der Massenverkehr der Eisenbahn verlangt einen typischen Inhalt der

Verträge; dieser muß in seinen Grundzügen im voraus und allgemein erkennbar feststehen und das läßt sich nur durch die Veröffentlichung der Tarife und Beförderungsbedingungen erreichen. Die Eisenbahnverwaltung hielt damals auch in ihren Tarifen noch an den Papiermarksätzen fest, obwohl sie mit Verlust arbeitete; für die Unterstellung, daß sie auf die Haftungsbeschränkungen bei Kostbarkeiten verzichtet haben sollte, fehlte jeder Anhalt. Damit war aber nicht gesagt, daß es beim Höchstsatz von 2000 Papiermark sein Bewenden haben mußte. Die Bahnverwaltung hatte selbst im Juli 1923 eine Entschädigung von 10 Millionen Papiermark angeboten; sie anerkannte damit, daß eine Aufwertung geboten sei. Seit dem 1. November 1923 betragen die Haftungs-Höchstsummen für Kostbarkeiten im Reisegepäck 30 Goldmark für das Kilo und 300 Goldmark für die ganze Sendung (seit dem 6. April 1925 ebensoviele Reichsmark). Die frühere Grenze führte nach dem Stand der Goldmark zur Zeit ihrer Festsetzung (1. März 1920) zu einem Betrag von rund 85 Goldmark; doch durfte hier nicht außer acht bleiben, daß damals der Verkehr noch nicht nach Goldmark rechnete und daß der Inlandswert der Mark gerade im Jahre 1920 noch erheblich höher war, als sich aus dem Währungskurs ergab. Unter Berücksichtigung aller dieser Umstände war ein billiger Ausgleich der beiderseitigen Belange zu suchen. (I, 11. November 1925.)

Amtl. Sammlg. S. 88—95.
Vgl. Bd. 99 S. 250; Bd. 109 S. 299.

22. **Arbeiter- und Soldatenrat. Staatshaftung.** (PrALR. Einl. § 75.) Eine Waffenfabrik lieferte auf Grund von Verfügungen des damaligen Polizeipräsidenten von Berlin im November und Dezember 1918 Waffen an das Polizeipräsidium ab. Die Verfügungen waren auch von Mitgliedern des Vollzugsrats des Arbeiter- und Soldatenrats unterzeichnet; als Zweck war die Bewaffnung von Sicherheitsbeamten angegeben. Der Anspruch auf Entschädigung wurde dem Grunde nach als gerechtfertigt anerkannt. Ob in den Verfügungen eine Beschlagnahme oder nur eine amtliche Anforderung zu sehen war, konnte dahingestellt bleiben; in jedem

Fall wurde dadurch die Klägerin genötigt, ihr Eigentum dem Allgemeinwohl zu opfern. Dafür mußte sie der Staat entschädigen, wenn die Behörde oder der Beamte, auf dessen Anordnung der Eingriff geschehen war, die Machtbefugnis hiezu hatte. Der damalige Polizeipräsident hatte sich sein Amt zunächst angemaßt; da aber die preußische Regierung wie auch der Vollzugsrat mit ihm amtlich verkehrten, erkannten sie durch die Duldung seiner Amtsführung auch deren Rechtmäßigkeit stillschweigend an. Als Polizeipräsident war er nicht berechtigt, die Ablieferung von Waffen zu verfügen; eine solche Verfügung fand in den bestehenden Gesetzen, die auch nach Ausbruch der Staatsumwälzung ausdrücklich aufrechterhalten worden waren, keine Stütze. Die Rechtmäßigkeit und Wirkung wurde der Verfügung aber durch die Zustimmung des Vollzugsrats des Soldatenrats gesichert. Freilich war auch die Macht des Arbeiter- und Soldatenrats angemaßt; aber die rechtswidrige Erlangung der Staatsgewalt steht ihrer Anerkennung nicht entgegen, weil die Rechtmäßigkeit der Begründung für den Besitz der Staatsgewalt kein wesentliches Merkmal ist. In der in Betracht kommenden Zeit verkörperten die Arbeiter- und Soldatenräte im Reich wie in Preußen die höchste Gewalt. Ob sie damit Träger der Staatsgewalt waren und ob der Vollzugsrat des Berliner Arbeiter- und Soldatenrats das höchste Organ war, konnte dahingestellt bleiben; entscheidend war, daß er die höchste Machtbefugnis hatte und in seinen Entscheidungen von dem Rat der Volksbeauftragten und von der preußischen Regierung nicht abhängig war, denn diese leiteten ihre Macht selbst nur von den Arbeiter- und Soldatenräten her. Daß der Vollzugsrat des Arbeiter- und Soldatenrates Großberlin unter diesen Umständen befugt war, auf seine Kosten Waffen anzufordern oder durch den Polizeipräsidenten anfordern zu lassen, konnte nicht zweifelhaft sein; wenn er seine Machtbefugnisse frei bestimmen konnte, hatte er auch das Recht, ohne Rücksicht auf den bisherigen Rechtszustand und in bewußter Abweichung von ihm Entscheidungen zu treffen. Die unter Mitwirkung des Vollzugsrats geschehene Anforderung von Waffen lag auch im Interesse des Allgemeinwohls, da die Waffen zur Hebung der Sicherheit verwendet werden sollten. Wenn sie auch nachträglich andere Verwendung fanden und das vielleicht von vorneherein beabsichtigt war, fiel das nicht ins Gewicht; nur in der Gestalt, in der eine Amtshandlung vorgenommen ist, sind ihre Wirkungen zu beurteilen. Der Polizeipräsident handelte als preußischer Beamter für den preußischen Staat, ebenso der Vollzugsrat; die Tatsache, daß auch das Reich von der Bewaffnung der Sicherheitsbeamten Nutzen gehabt hätte, ließ die Haftung des preußischen Staates unberührt. Ob die Ausgleichsansprüche des preußischen Staates gegen das Reich oder gegen die Stadt Berlin bestanden, war nicht zu entscheiden. (IV, 13. November 1925.) Amtl. Sammlg. S. 95—102. Vgl. Bd. 82 S. 81; Bd. 100 S. 27; Bd. 104 S. 263.

23. **Eigentumserwerb. Vermengung von Getreide. Aussonderung im Konkurs. Masseschuld.** (BGB. §§ 742, 947, 948; KO. §§ 46, 59.) In eine Mühle wurde Getreide geliefert, das dort vermahlen und dann bezahlt werden sollte. Als der Müller in Konkurs geraten war, wurde Herausgabe des Getreides oder gleicher Mengen gleichen Getreides oder im Falle der Veräußerung Abtretung des Anspruchs auf die Gegenleistung, hilfsweise Werterſatz, verlangt. Die Klage wurde abgewiesen. Das Getreide war mit dem anderen in der Mühle lagernden Getreide vermengt worden; zur Ermittelung des Anteils des Klägers an der gesamten Menge fehlte jede Unterlage. Daß in solchen Fällen die an der Gesamtmenge Beteiligten als zu gleichen Teilen beteiligt behandelt werden sollen, ist aus dem Gesetz nicht ersichtlich; der Fall der Vermengung ist gesondert geregelt und die Vorschriften über die Gemeinschaft finden auch dann keine Anwendung, wenn die Sonderregelung sich nicht durchführen läßt. Der Anspruch aus rechtloser Bereicherung hätte nur dann als Masseschuld behandelt werden können, wenn bei der Konkurseröffnung ein bestimmter Getreide- oder Mehlvorrat oder ein rechnungsmäßig bestimmbarer Anteil an dem Gesamtvorrat dem Kläger gehört oder für ihn verwahrt gehalten worden wäre. Nur unter dieser Voraussetzung hätte der Kläger auch die Abtretung des Verkaufserlöses für das aus seinem Getreide hergestellte und etwa während

des Konkurses verkaufte Mehl verlangen können. Das war nicht nachgewiesen. (VI, 17. November 1925.)

Amtl. Sammlg. S. 102—104.

24. Beamtenbesoldung. Aufwertung. (RVerf. Art. 129; 12. BesGErg. vom 12. Dezember 1923 Art. 7.) Einer Beamtenwitwe wurde der ihr zustehende Hinterbliebenenbezug nicht ausbezahlt. Sie klagte gegen das Reich auf Zahlung des Betrages mit entsprechender Aufwertung. Das Landgericht wies die Klage ab; die unter Übergehung des Berufungsgerichts eingelegte Revision hatte Erfolg. Das Reich hatte sich darauf berufen, daß nach der Verordnung vom 12. Dezember 1923 bei verspäteter Auszahlung von Dienstbezügen ein Anspruch auf Verzinsung und Ersatz des durch die spätere Auszahlung entstandenen Schadens nicht besteht. Hiedurch wurde aber die Aufwertung nicht ausgeschlossen; bei dieser handelt es sich weder um Verzinsung noch um Schadenersatz, sondern nur um den rückständigen Betrag selbst und seine Bemessung mit Rücksicht auf die inzwischen eingetretene Geldentwertung. Das Reich hatte eingewendet, daß man in der Zeit, da die Verordnung erging, das rechtliche Wesen der Aufwertung noch nicht erkannt, sie vielmehr als eine Art Schadenersatz aufgefaßt habe; die Absicht sei gewesen, alle wegen verzögerter Auszahlung von Dienstbezügen etwa in Betracht kommenden Ansprüche, die zu untragbaren Lasten für das Reich hätten führen können, samt und sonders auszuschließen. Das Reichsgericht erklärte das für unrichtig. Im Jahre 1923 war schon ein Umschwung der Rechtsauffassung eingetreten, der auch die Gesetzgebung des Reiches schon in gewissem Maße Rechnung trug. Für den Rechtsbegriff der Aufwertung lag allerdings ein fester Sprachgebrauch noch nicht vor; daraus ergab sich aber keineswegs, daß auch der Anspruch auf Aufwertung ausgeschlossen werden sollte. Zu einem solchen Eingriff fehlte der Reichsregierung noch die Befugnis. Das Ermächtigungsgesetz vom 8. Dezember 1923 gab ihr nicht das Recht, von der Reichsverfassung und ihren Gewährleistungen abzuweichen; Gehaltsansprüche der Beamten und ihrer Hinterbliebenen sind aber durch die Reichsverfassung gewährleistet. (III, 17. November 1925.)

Amtl. Sammlg. S. 104—107.

Vgl. Bd. 38 S. 323; Bd. 88 S. 329; Bd. 107 S. 90; Bd. 109 S. 121.

25. **Prozeßgebühr. Armenrecht. Aktiengesellschaft.** (ZPO. §§ 114, 519.) Einer Aktiengesellschaft, die gegen das ihre Klage abweisende Urteil Berufung eingelegt hatte, wurde für den Nachweis der Zahlung der Prozeßgebühr eine Frist gesetzt. Am letzten Tag der Frist suchte sie um die Bewilligung des Armenrechts nach; einige Tage später zahlte sie die Gebühr und nahm das Gesuch zurück. Die Berufung wurde als unzulässig verworfen; die Beschwerde blieb ohne Erfolg. Für eine juristische Person ist die Bewilligung des Armenrechts ausgeschlossen, da Voraussetzung dafür die Beeinträchtigung des notwendigen Unterhalts für den Gesuchsteller und seine Familie durch die Aufbringung der Prozeßkosten ist; ein solches Gesuch kann daher nicht die Wirkung haben, den Lauf der Frist für den Nachweis der Zahlung der Prozeßgebühr zu hemmen. Die Gesellschaft hatte selbst zugegeben, daß sie durch das Gesuch nur den Ablauf der Frist verhindern wollte; zu diesem Zweck hätte sie ein Gesuch um Verlängerung der Frist stellen müssen. (II, 17. November 1925.) Amtl. Sammlg. S. 107—108.
Vgl. Bd. 110 S. 179.

26. **Aktiengesellschaft. Generalversammlung. Anfechtungsklage. Teilnahme. Stimmrecht. Hinterlegung. Gute Sitten.** (BGB. §§ 138, 688, 855; HGB. §§ 250, 252, 255, 271.) Nach der Satzung einer Aktiengesellschaft hatten die Aktionäre, die in der Generalversammlung ihr Stimmrecht ausüben wollten, spätestens am dritten Tag vor der Versammlung ihre Aktien bei der Gesellschaftskasse oder bei einer in der Bekanntmachung der Versammlung zu bezeichnenden Stelle zu hinterlegen. Als solche Stelle wurde ein Bankhaus benannt. Ein Aktionär beauftragte die Bank, bei welcher er seine Aktien in Verwahrung gegeben hatte, ihm eine Eintrittskarte zu vermitteln. Diese teilte dem in der Bekanntmachung bezeichneten Bankhaus die Nummern der Aktien mit und fügte bei, daß sie die Aktien bis nach der Generalversammlung zu treuen Händen für das Bankhaus in Verwahrung halte. Das Bankhaus stellte darauf die Eintrittskarte aus. Die Generalversammlung

schloß den Aktionär von der Teilnahme an der Beratung und Beschlußfassung aus, weil er die Aktien nicht vorschriftsmäßig hinterlegt habe. Er focht diesen Beschluß und alle nach seiner Ausschließung gefaßten Beschlüsse an. Die Klage drang in allen Instanzen durch. Nach der Bekanntmachung war nur die Ausübung des Stimmrechts, nicht aber der Besuch der Versammlung selbst von der rechtzeitigen Hinterlegung der Aktien abhängig gemacht worden; auch wenn die Hinterlegung nicht rechtzeitig erfolgt wäre, hätte der Kläger nicht von der Teilnahme an der Versammlung ausgeschlossen werden dürfen, wenn er den Nachweis erbrachte, daß er Aktionär war. Ein Zweifel in dieser Hinsicht war nicht erhoben worden. Der ungerechtfertigte Ausschluß von der Versammlung begründete auch die Anfechtbarkeit der nachher gefaßten Beschlüsse, da dem Kläger die Möglichkeit genommen war, durch Stellung von Anträgen und Rechtsausführungen die Beschlußfassung zu beeinflußen oder eine Vertagung zur Nachholung der Förmlichkeiten der Hinterlegung zu erwirken. Das Berufungsgericht hatte einen Verstoß gegen die guten Sitten darin gefunden, daß die Mehrheit der Generalversammlung unter dem Schein der Gesetzmäßigkeit die nicht vollständige Wahrung der äußeren Form dazu benutzte, um die ihr unbequeme Gegnerschaft des Klägers mundtot zu machen; es hatte diese Auffassung damit begründet, daß der Begriff der Hinterlegung eine Abwandlung erfahren habe und daß die Generalversammlung das früher nicht beanstandete und von der Hinterlegungsbank anerkannte Verfahren nicht als ungültig habe behandeln dürfen. Das Reichsgericht bemerkte dazu, daß von einer Abwandlung des Begriffs der Hinterlegung nicht gesprochen werden könne. Die Hinterlegung, von der nach dem Gesetz die Ausübung des Stimmrechts abhängig gemacht werden kann, soll dazu dienen, die Feststellung der Legitimation der Mitglieder in der Versammlung zu erleichtern und Mißbräuchen in der Benutzung von Aktien zu Stimmzwecken kurz vor der Versammlung entgegenzutreten. Diesem Zweck wird nur eine tatsächliche Hinterlegung der Aktien an der Hinterlegungsstelle gerecht; nur diese (oder die Hinterlegung bei einem Notar) bietet Gewähr dafür, daß die Aktien bis zur Generalversammlung der tatsächlichen Verfügung durch die Aktionäre entzogen sind. Zum Begriff der Hinterlegung gehört die tatsächliche Übergabe der aufzubewahrenden Sache an den Verwahrer. Es ist zwar zulässig, daß die Niederlegung bei den Zweigstellen der für die Hinterlegung bestimmten Bank erfolgt, da diese den Anweisungen der Zentrale nachzukommen haben, also nur ihre Besitzdiener sind; der mittelbare Besitz, den die Bank an den bei anderen Banken in Verwahrung befindlichen Aktien erlangt, wenn diese sich ihr gegenüber verpflichten, die Aktien bis zur Generalversammlung zu treuen Händen für sie zu verwahren, reicht für die Erfüllung des Begriffs nicht aus. Daß man sich vielfach mit dieser abgeschwächten Form der Hinterlegung begnügt und auch frühere Generalversammlungen keine Einwendungen dagegen erhoben hatten, konnte nicht die Wirkung haben, die Vorschrift inhaltlich zu ändern; das Bestehen eines Handelsgebrauchs, der diese Art der Hinterlegung für ausreichend hielt, war nicht nachgewiesen. Auch der Umstand, daß die Hinterlegungsbank sich mit dieser Art der Hinterlegung begnügte, nahm der Generalversammlung das Recht der Beanstandung nicht. Nachdem einmal die Mängel der Hinterlegung in der Generalversammlung hervorgehoben worden waren, mußte diese sich bei ihrer Entscheidung an die Satzung halten, um der Gefahr einer Anfechtung der Beschlüsse zu begegnen. Die Nichtzulassung des Klägers zur Abstimmung verstieß also weder gegen das Gesetz noch gegen die Satzung. Eine andere Frage war aber, ob es nicht als eine grobe Verletzung von Treu und Glauben im aktienrechtlichen Verkehr und deshalb als sittenwidrig anzusehen war, wenn unter den gegebenen Verhältnissen den ausgeschlossenen Aktionären die Möglichkeit entzogen wurde, bei den zu treffenden wichtigen Beschlüssen mitzuwirken. Der Kläger war in einem nach den Umständen entschuldbaren Vertrauen auf die vielfach bestehende Übung und auf die frühere Nichtbeanstandung unter Billigung der Hinterlegungsbank dazu gekommen, den satzungsmäßigen Vorschriften nicht voll zu genügen. Bei dieser Sachlage verstieß es gegen die guten Sitten des aktienrechtlichen Verkehrs, wenn die Mehrheit der Generalversammlung diesen Mangel der Hinterlegung

dazu benutzte, um den Kläger von der Mitwirkung bei der bevorstehenden Beschlußfassung auszuschließen. Dabei war es von besonderer Bedeutung, daß es sich um die Umstellung des Grundkapitals auf Goldmark, also um eine Maßnahme handelte, durch welche die Rechte des Aktionärs erheblich beeinträchtigt wurden. Unter diesen Umständen hätte es den Anschauungen eines redlichen, anständigen Geschäftsverkehrs entsprochen, die Beschlußfassung auszusetzen und durch eine Vertagung den Aktionären, die in entschuldbarer Weise die Voraussetzungen für die Ausübung des Stimmrechts nicht erfüllt hatten, Gelegenheit zur Nachholung der Förmlichkeiten zu geben. Die Befürchtung, daß der Kläger sich seinerseits auf Ordnungswidrigkeiten des Verfahrens bei der Einberufung der Generalversammlung berufen würde, um die in ihr gefaßten Beschlüsse anzufechten, rechtfertigte es nicht, die gegebene Sachlage zur Lahmlegung der Minderheit zu benutzen. (II, 17. November 1925.)
Amtl. Sammlg. S. 109—117. Vgl. Bd. 106 S 258.

27. **Urheberrecht. Buchtitel. Unlauterer Wettbewerb. Verwechslungsgefahr. Film.** (UWG. § 16; ZPO. § 253.) Der Verfasser eines Werkes, das den Titel „Das Liebesleben in der Natur" führte, klagte gegen den Hersteller und den Verleger eines Films, der mit dem gleichen Titel bezeichnet war, auf Unterlassung der Verwendung dieses Titels und Schadenersatz. Die Klage drang durch. Die Frage, ob der Titel eines Schriftwerks selbständigen urheberrechtlichen Schutz genieße, bezeichnete das Reichsgericht als überaus zweifelhaft; zu einer grundsätzlichen Entscheidung lag kein zwingender Anlaß vor, da die Klage durch die Vorschriften des Gesetzes gegen den unlauteren Wettbewerb getragen wurde. Der Titel einer Druckschrift ist deren besondere Bezeichnung im Sinne dieses Gesetzes, wenn die Bezeichnung frei gewählt, für die in Frage kommenden Kreise neu und eigentümlich und dazu bestimmt und geeignet ist, sie von anderen Druckschriften zu unterscheiden. Auch eine Verwechslungsgefahr war gegeben; daß eine solche immer nur zwischen der besonderen Bezeichnung einer Druckschrift und der besonderen Bezeichnung einer anderen Druckschrift vorliegen könnte, ist dem Gesetz nicht zu entnehmen. Es kam auch nicht darauf an, daß Personen,

die das Schriftwerk und den Film der Parteien kannten, beide voraussichtlich nicht miteinander verwechselten; entscheidend war vielmehr, daß Personen, denen der Film der Beklagten nicht bekannt war, aus der Ankündigung leicht die irrige Meinung gewinnen konnten, es handle sich um eine Bearbeitung des Werkes des Klägers. Die Besorgnis weiterer Störungen war zweifelsfrei nachgewiesen. Der Kläger hatte ursprünglich seinen Anspruch auf Schadenersatz nicht beziffert. Ob das zulässig war, brauchte nicht geprüft zu werden, da er nachträglich seinen Anspruch bestimmt begrenzte; das Reichsgericht erklärte aber, daß gegen die ursprüngliche Fassung kein Bedenken vorlag. (I, 19. November 1925.)

Amtl. Sammlg. S. 117—119.

28. **Versicherung. Übertragung.** (VAG. §§ 14, 41, 42, 43; BGB. § 415.) Eine amerikanische Lebensversicherungsgesellschaft übertrug ihr gesamtes deutsches Geschäft, nämlich die Rechte und Pflichten aus Versicherungsverträgen, die sie nach deutschen Gesetzen und Bestimmungen auf das Leben von Deutschen oder von Personen, die ständig in Deutschland wohnten, abgeschlossen hatte, auf eine deutsche Gesellschaft; ausgenommen wurden Versicherungen, die nicht in deutscher Währung ausgestellt waren, sowie die Versicherungen von Deutschen, die außerhalb des Reiches wohnten und ihre Prämien im Ausland gezahlt hatten. Das Aufsichtsamt genehmigte die Übertragung; sie wurde den Versicherten, auf die sie sich bezog, schriftlich mitgeteilt. Einer von diesen widersprach und verlangte von der amerikanischen Gesellschaft eine Anerkennung der Ungültigkeit der Abtretung. Da diese verweigert wurde, erhob er gegen die Gesellschaft Klage auf Feststellung, daß sie nach wie vor aus dem Versicherungsvertrag hafte. Das Berufungsgericht stellte fest, daß die beklagte Gesellschaft durch den Übertragungsvertrag von der Haftung aus dem mit dem Kläger abgeschlossenen Vertrag nicht befreit sei. Die Revision der Gesellschaft wurde verworfen. Es war weder der Versicherungsbestand in einem einzelnen Zweig noch auch der Versicherungsbestand des in Deutschland zugelassenen Unternehmens der beklagten Gesellschaft in seiner Gesamtheit auf die deutsche Gesellschaft übertragen worden. Von Versicherungszweigen pflegt man

im Hinblick auf die verschiedenen Gefahren zu sprechen, gegen welche Versicherung geleistet wird; demgemäß war von Übertragung des Versicherungsbestandes in einem einzelnen Zweig nicht zu reden. Auch eine Übertragung des Gesamtunternehmens der beklagten Gesellschaft hatte nicht stattgefunden, selbst wenn man einen solchen Fall schon dann für gegeben erachtet, wenn ein Versicherungsunternehmen, das sich über mehrere Länder erstreckt, seinen Versicherungsbestand in einem dieser Länder in seiner Gesamtheit überträgt; die Übertragung hatte vielmehr nur eine bestimmte Mehrheit einzelner Versicherungsverträge zum Gegenstand. Hierzu war die Genehmigung der Versicherten erforderlich, wenn nicht die Satzung eine andere Bestimmung enthielt; das traf nicht zu. Die Bindung an Beschlüsse des obersten Organs der Versicherungsgesellschaft kann nicht so weit gehen, daß durch einen solchen Beschluß einzelne Mitglieder in ihren Rechten ungünstiger gestellt werden als andere; das geschah aber dadurch, daß die deutsche Gesellschaft den Versicherten nicht die Gewähr für ihre Ansprüche bieten konnte — wie die beklagte Gesellschaft mit ihrem ausgedehnten, die ganze Welt umfassenden Betrieb. Die Genehmigung des Aufsichtsamts hatte nur öffentlichrechtliche Bedeutung; sie begründete keine Bindung des Klägers an den Übertragungsvertrag und schloß auch eine Nachprüfung seiner Wirkung durch das Gericht nicht aus. (VI, 20. November 1925.) Amtl. Sammlg. S. 119—124.
Vgl. Bd. 72 S. 18; Bd. 56 S. 295.

29. **Verein. Rechtsfähigkeit. Verpflichtungsfähigkeit. Wechselfähigkeit.** (BGB. § 54; WO. Art. 1, 4, 21; ZPO. §§ 50, 735.) Der Vorstand eines nicht rechtsfähigen Vereins akzeptierte einen auf den Verein gezogenen Wechsel. Die Klage gegen den Verein wurde in allen Instanzen abgewiesen. Ein nicht rechtsfähiger Verein kann zwar unter seinem Namen verklagt werden; zur Zwangsvollstreckung in sein Vermögen genügt ein gegen ihn ergangenes Urteil; im übrigen untersteht er aber den Vorschriften über die Gesellschaft, nur daß aus einem Rechtsgeschäft, das in seinem Namen einem Dritten gegenüber vorgenommen wird, der Handelnde persönlich und mehrere Handelnde als Gesamtschuldner haften. Ein nicht rechtsfähiger Verein kann sich also

durch Verträge nicht verpflichten und ist demzufolge nicht wechselfähig. Durch das Akzept des Vorstands wurde eine Wechselverbindlichkeit des beklagten Vereins nicht begründet, ebensowenig eine solche aller Vereinsmitglieder, auch nicht mit Beschränkung auf das Vereinsvermögen; denn zu den wesentlichen Erfordernissen eines gezogenen Wechsels gehört der Name der Person oder der Firma, welche Zahlung leisten soll, und für das Akzept ist die Zeichnung mit eben diesem Namen erforderlich. Der Vereinsname ist weder ein Firmenname noch der Name einer Person, insbesondere nicht der Name der einzelnen Vereinsmitglieder. (II, 20. November 1925.)

Amtl. Sammlg. S. 124—126.

Vgl. Bd. 78 S. 101; Bd. 90 S. 173.

30. **Bahnbeamter. Pensionsanspruch.** (PrPensG. § 19.) Ein Bahnmeister einer Privatbahn wurde beim Übergang der Bahn an den preußischen Staat mit übernommen und in der bisherigen Dienststellung weiter beschäftigt; es wurde ihm aber eröffnet, daß er damit nicht in das Beamtenverhältnis eintrete. Spätere Gesuche um die Überführung in die Stellung eines Beamten wurden ablehnend verbeschieden. Bei seinem Ausscheiden aus dem Dienst wurde ihm eine Unterstützung zuerkannt. Er klagte auf Feststellung, daß er auf die Pension der Staatsbeamten Anspruch habe, da er eine etatmäßige Stellung bekleidet und als Bahnmeister obrigkeitliche Verrichtungen wahrgenommen habe. Die Klage wurde in allen Instanzen abgewiesen. Da eine Übernahme des Klägers als Beamten nicht stattgefunden hatte, konnte nur in Frage kommen, ob er trotz des Fehlens einer eigentlichen Anstellung dadurch Beamter geworden war, daß ihm obrigkeitliche Befugnisse übertragen wurden. Grundsätzlich ist mit der Übertragung polizeilicher, ihrer Natur nach hoheitsrechtlicher Befugnisse die Verleihung der Beamteneigenschaft mit Notwendigkeit verbunden und zwar sowohl nach außen hin wie auch im inneren Verhältnis zu dem Staat oder der sonstigen öffentlichen Körperschaft. Da der Kläger als Bahnmeister Bahnpolizeibeamter gewesen war, kam ihm hiernach Beamteneigenschaft zu. Daraus ergab sich aber noch nicht, daß er auch auf die Pension von Beamten Anspruch hatte; für das Pen-

sionsgesetz ist der Begriff des Beamten besonders abgegrenzt. Personen, die von der staatlichen Eisenbahnverwaltung mittels privatrechtlichen Dienstvertrags angenommen werden, erwerben die Pensionsansprüche von Beamten nicht schon dadurch, daß sie nebenher auch als Bahnpolizeibeamte tätig werden; erst mit der Umwandlung des privatrechtlichen Dienstverhältnisses in ein öffentlichrechtliches entsteht ein solcher Anspruch. Hiezu war es aber beim Kläger nicht gekommen. (III, 20. November 1925.) Amtl. Sammlg. S. 126—129.
Vgl. Bd. 106 S. 19; Bd. 108 S. 418.

31. **Erbschaftskauf. Nachlaßverbindlichkeit. Erbengemeinschaft.** (BGB. §§ 1967, 2033, 2040, 2371, 2382.) Eine Frau beerbte ihren Mann zur Hälfte; die andere Hälfte fiel Erben zu, deren Aufenthalt nicht bekannt war. Zum Nachlaß gehörte ein Grundstück; die Frau und der Pfleger der anderen Erben veräußerten dieses. Nachher verkaufte die Frau ihr Erbteil; der Erbschaftskäufer machte dabei den Vorbehalt, daß er aus der Veräußerung des Grundstücks keine Verpflichtungen übernehme. Der Erwerber des Grundstücks klagte gegen die Frau und gegen den Erbschaftskäufer auf Verschaffung des Eigentums und Einwilligung in die Auflassung des Grundstücks. Das Landgericht wies die Klage ab; das Berufungsgericht gab ihr in der Richtung gegen die Frau statt; das Reichsgericht verwies die Sache zurück. Der Erbschaftskäufer haftet den Nachlaßgläubigern neben dem Verkäufer; die Haftung kann vertraglich nicht ausgeschlossen werden. Es kam also nur darauf an, ob der Kläger als Nachlaßgläubiger angesehen werden konnte. Das war von den Untergerichten nicht geprüft worden. Der Erbe kann auch durch Rechtsgeschäfte, die er selbst nach Eintritt des Erbfalls und Erwerb der Erbschaft vorgenommen hat, eine Nachlaßverbindlichkeit begründen; das wird auch dadurch nicht ausgeschlossen, daß diese Verbindlichkeit gleichzeitig als eine eigene Verbindlichkeit des Erben anzusehen ist. Die Frage, ob für die Beurteilung einer Verbindlichkeit als Nachlaßverbindlichkeit die Erkennbarkeit der Beziehung zum Nachlaß oder die objektive Sachlage entscheidet, ist nicht unbestritten. Dem ersten Erfordernis war im gegebenen Falle genügt, da der Kaufvertrag von der Frau gemeinschaftlich mit

dem für die Miterben bestellten Nachlaßpfleger abgeschlossen worden war; für das zweite Erfordernis wurde auf die Rechtsprechung des Reichsgerichts verwiesen, wornach für die Beurteilung einer vom Vorerben eingegangenen Darlehensverbindlichkeit als Nachlaßverbindlichkeit der Umstand maßgebend ist, ob die Verbindlichkeit vom Standpunkt eines sorgfältigen Verwalters in ordnungsmäßiger Verwaltung des Nachlasses eingegangen ist. Die Beteiligung von Miterben an dem Kaufvertrag stand der Klage nicht entgegen, da der Pfleger zur Auflassung bereit war und den Beklagten nur die Mitwirkung bei der von der Erbengemeinschaft vorzunehmenden Verfügung angesonnen wurde. (V, 21. November 1925.) Amtl. Sammlg. S. 129—132. Vgl. Bd. 60 S. 131; Bd. 83 S. 38; Bd. 90 S. 91; Bd. 93 S. 295; Bd. 111 S. 338.

32. Speditionsgeschäft. Fob-Anlieferung. Treu und Glauben. Schadenersatz. (BGB. § 986; HGB. §§ 366, 410.) Die Firma J. in Lübeck kaufte von einer Firma in England Waren fob, Kassa gegen Dokumente und veräußerte sie schon vor Empfang weiter an die Firma K. in Lübeck. Der Verkäufer verlangte von der Firma J. die Fob-Instruktion, also die Angabe, an welchen Dampfer die Ware zu liefern sei. J. verwies ihn an eine Speditionsfirma in Lübeck. Diese sandte dem Verkäufer Schiffszettel, worin sie selbst als Abladerin aufgeführt war. Der Verkäufer ließ die Waren verladen, schickte der Speditionsfirma die Bescheinigung hierüber und ersuchte sie, sich die Konnossemente übergeben zu lassen und ihm zu übersenden. Die Speditionsfirma verweigerte die Herausgabe der Konnossemente mit der Begründung, daß ihr gegen die Firma K. Forderungen zustünden. Die Klage des Verkäufers gegen die Speditionsfirma auf Schadenersatz wurde in zwei Instanzen abgewiesen; das Reichsgericht verwies die Sache zurück. Das Landgericht hatte angenommen, daß der Verkäufer mit seiner Anlieferung das Eigentum an der Ware verloren habe, selbst wenn er nicht den Willen gehabt habe, Eigentum zu übertragen. Dem war nicht zuzustimmen. Auf die beklagte Firma war das Eigentum nicht übergegangen, da sie nur als Beauftragte tätig war; auf J. oder K. aus dem Grunde nicht, weil sie Kasse gegen

Dokumente gekauft hatten, also wußten, daß ihnen die Konnossemente, welche die Ware vertraten, nur gegen Zahlung überlassen würden und nicht annehmen konnten, daß der Verkäufer ihnen schon mit der Anlieferung auf das Schiff Eigentum übertragen wollte. Das Berufungsgericht war davon ausgegangen, daß die beklagte Firma mit Willen des Klägers Besitz an der Ware zur Wahrnehmung der ihr an dem Gute zustehenden Rechte (Pfandrechte und Zurückbehaltungsrechte) erlangt habe und daß der Kläger Rückübertragung des Besitzes durch Herausgabe der Konnossemente weder auf Grund eines Vertrages (da ein solcher nicht abgeschlossen war) noch auf Grund seines Eigentums (da die beklagte Firma zum Besitz berechtigt war) verlangen könne; demzufolge sei auch sein Schadenersatzanspruch hinfällig. Das Reichsgericht bemerkte hierzu, daß durch diese Auffassung einseitig die Interessen der Spediteure berücksichtigt würden; dadurch würde die Sicherheit des Verkehrs nicht gefördert, vielmehr der ganze Verkehr verwirrt und gefährdet. Die beklagte Firma konnte aus dem Schreiben des Klägers ersehen, daß dieser nur mit der Firma J. zu tun haben wollte und annahm, daß sie für diese tätig sei; wollte sie aus der von ihr vorauszusehenden weiteren Entwicklung der Angelegenheit Rechte für sich aus ihren Beziehungen zu K. herleiten, so mußte sie dem Kläger bekanntgeben, daß sie im Auftrag von K. handle, und ihm Gelegenheit zur Prüfung geben, ob er seine Ware in die ihm unbekannten Rechtsverhältnisse zwischen der beklagten Firma und K. verwickeln lassen wollte. Das erforderte Treu und Glauben. Durch die Unterlassung machte sich die beklagte Firma schadenersatzpflichtig. (I, 21. November 1925.) Amtl. Sammlg. S. 133—137.

33. **Scheck. Stempelaufdruck. Bezogener.** (ScheckG. §§ 1, 16.) Eine Bank, die sich mit einer anderen Bank zu einer Interessengemeinschaft vereinigt hatte, gab deren Scheckbücher an ihre Kunden aus, nachdem sie in den Scheck an die Stelle der Firma der Bank ihre eigene Firma durch Stempelaufdruck gesetzt hatte. Das Reichsgericht entschied, daß die Schecke ungültig waren. Da der Scheck ein für den Umlauf bestimmtes Zahlungsmittel ist, muß aus ihm mit zweifelloser Sicherheit

hervorgehen, wer Zahlung leisten soll. Der Stempelaufdruck ließ das nicht erkennen, zumal die Firma der anderen Bank an der Seite der Scheckformulare unverändert stehen geblieben war. Mehrere Bezogene darf ein Scheck nicht enthalten. Der vorliegende Fall konnte nicht auf eine Stufe gestellt werden mit den Überdrucken, die bei Verschmelzung von Banken vorgenommen werden, da beide Banken selbständig nebeneinander bestehen blieben. (II, 24. November 1925.)

Amtl. Sammlg. S. 137—140.

34. Berufung. Einschränkung. Nachweis der Gebührenzahlung. (ZPO. § 519.) Eine Klage auf 6000 Mk. wurde abgewiesen. Der Kläger legte Berufung ein. Es wurde eine Prozeßgebühr von 180 Mark eingefordert. Darauf zog der Kläger die Berufung soweit zurück, als die Anträge den Wert von 2000 Mark überstiegen; die einem Streitwert von 2000 Mark entsprechende Prozeßgebühr von 75 Mark zahlte er ein. Die Berufung wurde in der Höhe von 4000 Mark als unzulässig verworfen, im übrigen als unbegründet zurückgewiesen. Das Reichsgericht entschied, daß die ganze Berufung als unzulässig hätte verworfen werden sollen. Die Berufung gilt als nicht in der gesetzlichen Form begründet, wenn nicht vor Ablauf der gesetzten Frist der Nachweis der Zahlung der geforderten Prozeßgebühr erbracht wird. Gefordert war eine Prozeßgebühr von 180 Mark; diese war nicht gezahlt worden. Wie die Sache zu beurteilen gewesen wäre, wenn das Berufungsgericht, sei es auf Antrag, sei es von Amts wegen nach Einschränkung der Berufung eine geringere Gebühr gefordert hätte, konnte dahingestellt bleiben, ebenso, ob das Berufungsgericht zur Herabsetzung der Gebühr nach teilweiser Zurücknahme der Berufung berechtigt gewesen wäre; keinesfalls konnte dem Kläger das Recht zugebilligt werden, von sich aus die Prozeßgebühr herabzusetzen. (VI, 27. November 1925.)

Amtl. Sammlg. S. 141—144.

Vgl. Bd. 27 S. 187; Bd. 64 S. 361; Bd. 86 S. 16, 64.

35. Postnachnahme. (WeltPostVertr. vom 26. Mai 1906.) Im September 1918 wurde ein Nachnahmepaket nach Lemberg gesandt. Es wurde eingelöst, der Nachnahmebetrag aber von der Post in Lemberg nicht weitergegeben. Die Klage gegen die deutsche Reichspost auf Zahlung des Betrags drang durch. Durch den Paketnachnahmevertrag verpflichtet sich die Post dem Absender des Pakets gegenüber, es an den Bestimmungsort zu befördern, gegen Zahlung des Nachnahmebetrags auszuliefern und dem Absender den Nachnahmebetrag zu übermitteln, im Falle der Nichtzahlung des Betrags aber das nicht eingelöste Paket zurückzubefördern. Der Empfänger, der den Nachnahmebetrag zahlt, tritt zu der Post in kein Vertragsverhältnis; seine Tätigkeit, die Einlösung, ist nur die Erfüllung der Bedingung, unter der die Post zur Übermittlung des Betrags an den Absender verpflichtet ist. Ansprüche aus dem Vertragsverhältnis können also gegen die Post nur vom Absender erhoben werden. Diesem haftet nur die Post des aufgebenden Landes, nicht jene des Bestimmungslandes für die Erfüllung des Vertrags, ohne Rücksicht darauf, wie sich die Verantwortlichkeit der Postverwaltungen der am Verkehr beteiligten Länder untereinander gestaltet, ob insbesondere ein Rückgriff möglich ist. Nach den Bestimmungen des Weltpostvertrags und der Ergänzungsverträge, insbesondere des Vertrags über den Austausch von Postpaketen, sind eingehobene Nachnahmebeträge durch Postanweisungen an den Absender zu übermitteln; die Einlösungssumme hat also als auf Postanweisung eingezahlt zu gelten, auch wenn die Zahlung in Wirklichkeit unterblieben ist. Die deutsche Reichspost haftete somit dem Beklagten auf Grund der Einlösung des Pakets auf den Nachnahmebetrag und konnte sich nicht darauf berufen, daß ihr dieser Betrag nicht zugegangen war. (VI, 27. November 1925) Amtl Sammlg. S 144—147.

36. **Vertragsschluß. Aufwertung des Kaufpreises.** (BGB. § 242.) Über die Lieferung eines Postens Leinen wurde zwischen dem Verkäufer und dem Käufer längere Zeit verhandelt. Schließlich unterzeichnete der Käufer einen Auftragschein über 1000 Meter; der Verkäufer erklärte ihm, er möge die Bestätigung abwarten, es komme höchstens eine Lieferung von 500 Metern in Frage. Der Auftrag wurde, so wie er in dem Schein enthalten war, in das Orderbuch des Verkäufers eingetragen und weiter behandelt; zur Lieferung kam es nicht. Der Klage auf Lieferung wurde stattgegeben; die

Berufung des Beklagten wurde verworfen, nachdem der Kläger sich ausdrücklich bereit erklärt hatte, dem Beklagten die vom Gericht für angemessen erachtete Aufwertung zu gewähren. Die Revision des Beklagten hatte keinen Erfolg. Mit der Eintragung des Auftrags in das Orderbuch des Beklagten war der Vertragsantrag, so wie er in dem Aufgabeschein niedergelegt war, angenommen, selbst wenn der Beklagte von der Eintragung keine Kenntnis hatte. Die nachher eingetretene Geldentwertung berechtigte den Beklagten nicht zur Verweigerung der Lieferung; eine Aufwertung hatte er nicht verlangt. Das Berufungsgericht hatte es abgelehnt, über die Höhe der Aufwertung zu entscheiden. Das Reichsgericht billigte dieses Verfahren. Im Urteil des Berufungsgerichts war festgestellt, daß der Kläger bereit und imstande sei, den Kaufpreis bei Fälligkeit mit der vom Gericht für angemessen erachteten Aufwertung zu zahlen; da der Beklagte nach dem Vertrag zur Vorausleistung verpflichtet war, kam eine Verurteilung zur Lieferung Zug um Zug gegen Zahlung des aufgewerteten Kaufpreises nicht in Frage. (II, 1. Dezember 1925.)
Amtl. Sammlg. S. 147—149.

37. **Spedition. Seeversicherung.** (HGB. §§ 384, 406, 407, 408, 608; ADSVB. §§ 19, 20, 83; ZPO. §§ 286, 549, 550; RGEntlVO. von 1924.) Im Januar 1921 wurde einer Speditionsfirma in Hamburg der Auftrag erteilt, drei Kisten mit Baumwollwaren, die im Jahr 1920 nach Spanien versandt, dort aber nicht angenommen worden waren, nach Hamburg zurückkommen zu lassen und dort einzulagern; die Fracht, Einlagerung und Versicherung gegen alle Gefahren sollten zu Lasten der Ware gehen. Im November 1921 traf die Ware in Hamburg ein und lagerte dort bis März 1922. Im Januar 1923 wurde festgestellt, daß ein Teil der Ware abhanden gekommen war. Der Eigentümer der Ware behauptete, weder bei den Frachtführern noch bei den Lagerhaltern Ersatz seines Schadens bekommen zu haben und auch von den Versicherungsgesellschaften abgewiesen worden zu sein; er klagte auf Zahlung des Versicherungsbetrags gegen die Speditionsfirma. Die Klage wurde in zwei Instanzen abgewiesen. Die Revision des Klägers hatte Erfolg. An erster Stelle

war die Klage damit begründet gewesen, daß die beklagte Firma verpflichtet gewesen wäre, dem Kläger die Versicherungsgesellschaften namhaft zu machen, bei denen die Versicherung genommen war, und daß sie infolge der Nichterfüllung dieser Pflicht für die Erfüllung der Versicherungsverträge haftbar geworden sei. Diese Auffassung erklärte das Reichsgericht für unhaltbar. Eine solche Bestimmung besteht wohl für den Kommissionär, nicht aber für den Spediteur. Wird im Anschluß an einen Speditionsvertrag der Abschluß von Versicherungsverträgen übernommen, so handelt es sich um eine nach den Grundsätzen des Speditionsvertrags zu beurteilende Nebenverpflichtung. Ein etwaiger Verzug der beklagten Firma in der Benennung der Versicherungsgesellschaften konnte wohl einen Schadenersatzanspruch, nicht aber einen Anspruch auf Bezahlung des Versicherungsbetrags begründen. Weiter war ausgeführt worden, daß die beklagte Firma verpflichtet gewesen wäre, das Gewicht der Ware schon bei der Absendung in Spanien, bei der Ankunft in Hamburg und bei der Einlagerung daselbst feststellen zu lassen. Das Berufungsgericht war hierauf nicht eingegangen; das Reichsgericht erklärte das für eine Verkennung der Vertragspflichten der beklagten Partei, nicht nur um eine der Revision nicht zugängliche Verletzung der Vorschriften über die Aufklärung der Sache. Soweit durch Unterlassung solcher Maßnahmen für den Kläger die Wahrnehmung seiner Rechte verhindert oder erschwert wurde, mußte die beklagte Partei dafür einstehen; auch ein Anspruch des Klägers auf Deckung durch die Versicherung befreite sie nicht von der Vertragspflicht, die Rechte des Klägers gegenüber den Unternehmern der Beförderung und der Lagerung der Ware zu sichern. Das Berufungsgericht hatte festgestellt, daß der Verlust auf der Reise von Spanien nach Hamburg entstanden war, und hatte die Behauptung des Klägers, daß er wegen des schuldhaften Verhaltens der beklagten Partei von den Versicherungsgesellschaften keinen Ersatz beanspruchen könne, für unbegründet erklärt. Das Reichsgericht wies demgegenüber darauf hin, daß Nachlässigkeiten oder Unterlassungen der beklagten Partei auch die Ansprüche des Klägers gegen die Versicherungsgesellschaften beeinträchtigen konnten. Eine Verletzung der durch die allgemeinen deutschen Seeversicherungsbedingungen geregelten Anzeigepflicht kam allerdings nicht in Frage, da die Waren nach der Feststellung des Berufungsgerichts bei der Verladung in Spanien noch vollständig vorhanden waren, ein Eintritt des Schadens vor Abschluß des Versicherungsvertrags also ausgeschlossen war. Es handelte sich insbesondere nicht um Retourwaren im Sinne dieser Vorschriften, weil die Waren nach ihrer Beförderung zum Bestimmungsort nicht ganz oder teilweise ausgepackt und wieder verpackt worden waren. Nach ihrem Wortlaut beziehen sich zudem die Vorschriften über Retourwaren nur auf Beschädigung versicherter Güter; es ist zum mindesten zweifelhaft, ob sie auch auf den Fall des Verlustes angewandt werden können. Es machte demgemäß auch nichts aus, ob die Waren zur Zeit des Abschlusses des Versicherungsvertrags segelfertig waren, da auch diese Behauptung nur unter dem Gesichtspunkt einer Verletzung der Anzeigepflicht zu beurteilen war. Zu prüfen war aber noch, ob die Versicherung den Aufenthalt der Ware in Hamburg deckte. An sich gilt eine Güterversicherung nur für die Dauer eines handelsüblichen Aufenthalts; dieser war durch die Dauer der Einlagerung überschritten. Ob für die Folgezeit eine Versicherung genommen war, stand nicht fest. (I, 2. Dezember 1925.) Amtl. Sammlg. S. 149—159.

38. **Warenzeichenrecht. Defensivzeichen. Buchstabenworte.** (WZG. § 20.) Für einen Fabrikanten von Kaffee-Ersatzmitteln war das Warenzeichen Kornfrank und außerdem das Warenzeichen Kofra eingetragen; das zweite Zeichen wurde nie benützt. Ein anderer Fabrikant brachte ein Kaffee-Ersatzmittel unter der Bezeichnung Koffea in den Handel. Er klagte auf Feststellung, daß er hierin durch den Eintrag des Zeichens Kofra nicht gehindert sei. Der Inhaber dieses Zeichens erhob Widerklage auf Unterlassung des Gebrauchs der Bezeichnung Koffea, Auskunfterteilung über den Umfang der Benutzung und Schadenersatz. Das Landgericht wies die Klage ab und entsprach der Widerklage, soweit sie auf Unterlassung gerichtet war. Beide Parteien legten Berufung ein, erklärten aber die Klage als durch die weitergehende Widerklage erledigt. Das Berufungsgericht wies

die Widerklage ab. Die Revision des Beklagten hatte Erfolg. Das Zeichen Kofra war als Defensivzeichen anzusehen. Das Wesen solcher Zeichen beruht einerseits auf dem Bedürfnis, wertvolle Zeichen unbedingt vor Mißbrauch zu schützen, anderseits auf der Befürchtung, die Gerichte könnten infolge einer engherzigen Auslegung der gesetzlichen Vorschriften den berechtigten Ansprüchen der Zeicheninhaber nicht gerecht werden; aus diesem Grunde werden neben den eigentlichen Zeichen häufig ähnliche, für die Verwendung nicht bestimmte Zeichen eingetragen, um nach Möglichkeit alle nur denkbaren Nachahmungen des Zeichens zu verhindern. Besondere gesetzliche Vorschriften für diese Zeichen bestehen nicht. Aus dem Abwehrzweck ergibt sich, daß sie dem Hauptzeichen ähnlich sein müssen. Das ist nicht gleichbedeutend mit der zeichenrechtlichen Verwechslungsgefahr, da andernfalls das Abwehrzeichen unnötig wäre, das Hauptzeichen allein schon seinen Schutz übernehmen könnte. Im gegebenen Fall war zudem eine Verwechslungsgefahr zwischen dem Hauptzeichen Kornfrank und dem Abwehrzeichen Kofra anzuerkennen; bei der starken Verbreitung, welche die als Abkürzung längerer Benennungen zusammengestellten Buchstabenworte im Verkehr gefunden haben, liegt es nahe, bei dem Anblick des Wortes Kofra sofort an das allgemein bekannte Wort Kornfrank zu denken. Der Inhaber eines Warenzeichens genießt aber vollen, uneingeschränkten Zeichenschutz. Soweit die Widerklage auf Unterlassung gerichtet war, wurde die Berufung des Klägers gegen das Urteil des Landgerichts zurückgewiesen; hinsichtlich der übrigen Ansprüche der Widerklage wurde die Sache an das Berufungsgericht zurückgegeben. (II, 4. Dezember 1925.)

Amtl. Sammlg. S. 160—164.

Vgl. Bd. 69 S. 376; Bd. 97 S. 94, 305; Bd. 104 S. 315.

39. **Nebenintervention. Urteilszustellung.** (ZPO. §§ 66, 67, 516, 519b, 552, 577.) Der Nebenintervenient, der dem Beklagten beigetreten war, ließ das Urteil am 9. April 1925 dem Kläger zustellen. Am 9. Juni 1925 legte der Beklagte Berufung ein. Sie wurde als verspätet verworfen. Die sofortige Beschwerde hatte Erfolg. Durch die vom Nebenintervenienten veranlaßte Zustellung wurde die Berufungsfrist gegen den Beklagten

nicht in Lauf gesetzt. Der Rechtsstand ist durch die seit dem 1. Juni 1924 geltenden Vorschriften erheblich geändert worden. Früher war die Einlegung der Berufung vor der Zustellung des Urteils wirkungslos; jetzt ist sie auch ohne Zustellung des Urteils zulässig und wirksam; die Zustellung hat nur die Bedeutung, daß unter Umständen durch sie die Frist für die Einlegung eines Rechtsmittels abgekürzt wird. Diese beträgt einen Monat und beginnt mit der Zustellung des Urteils, spätestens aber mit dem Ablauf von fünf Monaten seit der Verkündung des Urteils. Unter solchen Umständen muß die Zustellung des Urteils durch den Nebenintervenienten als unzulässig angesehen werden. Will er selbst das Urteil angreifen, so bedarf es hiefür der Zustellung nicht; auf die Entschließung der Hauptpartei drängend oder beschleunigend einzuwirken kommt ihm nicht zu. Das muß auch dann gelten, wenn die unterstützte Hauptpartei teils obgesiegt hat, teils unterlegen ist; ist die Hauptpartei aus dem Urteil mit Vollstreckung bedroht, so ist es nicht Sache ihres Streithelfers, die Verwirklichung dieser Möglichkeit durch Abkürzung der Berufungsfrist zu beschleunigen. (V, 5. Dezember 1925.) Amtl. Sammlg. S. 164—169.

40. **Geldentwertung. Einlösung von Wertpapieren. Bankdepot. Erledigung eines Rechtsstreits. Kosten. Aufwertung.** (AufwG. §§ 47, 79, 82.) Bei einer Bank waren Pfandbriefe im Werte von 76000 Mark hinterlegt. Diese wurden im Dezember 1922 ausgelost. Die Bank löste sie am 1. Juli 1923 ein, ohne vorher den Eigentümer von ihrer Absicht zu verständigen; am 13. Juli 1923 teilte sie ihm mit, daß sie ihm den Gegenwert in der Höhe des Nennbetrags gutgeschrieben habe. Da dieser Betrag infolge des Verfalls der deutschen Währung damals nur noch einen Wert von 2 Goldmark hatte, widersprach der Eigentümer dieser Sachbehandlung und erhob Klage auf Beschaffung gleichartiger Pfandbriefe oder Schadenersatz. Das Berufungsgericht gab dem Hauptantrag der Klage statt. Das Reichsgericht wies die Klage ab und legte dem Kläger sämtliche Kosten auf. Nach den allgemeinen Geschäftsbedingungen der Bank besorgte diese auch ohne besondere Aufforderung die Verwaltung der bei ihr hinterlegten Wertpapiere,

insbesondere den Einzug und die Verwaltung der verlosten oder gekündigten Stücke. Das Berufungsgericht hatte angenommen, daß die Bank die im Verkehr erforderliche Sorgfalt eines ordentlichen Kaufmanns außer acht gelassen habe, indem sie ohne Zustimmung des Klägers und ohne Vorbehalt seiner Rechte auf Aufwertung die Pfandbriefe einlöste. Das Reichsgericht ließ dahingestellt, ob diese Auffassung zutraf, da die Frage nach der Erlassung des Berufungsurteils durch die Gesetzgebung zugunsten der Bank entschieden worden war. Nach dem Aufwertungsgesetz fällt dem Verwalter eines fremden Vermögens ein zum Schadenersatz verpflichtendes Verschulden nicht zur Last, wenn er im Vertrauen auf den Stand der Gesetzgebung oder der Rechtsprechung bei der Annahme von Leistungen oder bei sonstigen Verfügungen über Ansprüche, die der Aufwertung nach den Vorschriften des Aufwertungsgesetzes unterliegen, mit einer Aufwertung nicht gerechnet hat. Das traf hier zu. Die Aufwertung von Pfandbriefen richtet sich nach dem Aufwertungsgesetz. Zur Zeit der Einlösung wurde zwar schon von Aufwertung gesprochen, aber geklärt war die Frage noch nicht. Die rückwirkende Kraft der Vorschrift des Aufwertungsgesetzes über den Ausschluß der Haftung ergibt sich aus ihrer Fassung, ihrem Sinn und ihrem Zweck. Zufolge der Abweisung der Klage trafen den Kläger alle Kosten. Die Vorschrift des Aufwertungsgesetzes, wornach jede Partei die ihr entstandenen außergerichtlichen Kosten zu tragen hat und die Gerichtskosten niederzuschlagen sind, wenn ein anhängiger Rechtsstreit infolge der Bestimmungen des Aufwertungsgesetzes seine Erledigung findet, kam dem Kläger nicht zugute, da er seinen Anspruch trotz des Hinweises auf die neuen Vorschriften aufrecht erhalten hatte. (I, 5. Dezember 1925.)

Amtl. Sammlg. S. 169—172.

Vgl. Bd. 101 S. 147; Bd. 107 S. 373; Bd. 109 S. 164.

41. **Langfristiger Verlagsvertrag. Rücktritt. Kündigung. Gute Sitten. Knebelungsvertrag.** (BGB. § 138; VerlG. §§ 15, 30, 32.) Der Verfasser eines volkswirtschaftlichen Werkes übertrug im Jahre 1909 dessen Herausgabe einem Verleger. Es wurde vereinbart, daß der Verfasser vor der Veranstaltung einer neuen Auf-

lage das Werk einer Durchsicht, notwendigenfalls einer neuen Bearbeitung unterziehen werde, daß der Verlag, wenn der Verfasser die Durchsicht oder Neubearbeitung nicht übernehmen könne oder wolle, die Herausgabe einem anderen Sachkundigen übertragen dürfe und daß in diesem Falle der Verfasser oder sein Rechtsnachfolger die Hälfte des andernfalls für die Auflage vereinbarten Honorars für die Dauer von 10 Jahren, von dem Eintritt der Hinderungsgründe an gerechnet, erhalten solle. Im Jahre 1924 wurde eine Neuauflage notwendig. Die Parteien wurden einig, daß der Verfasser für die Neubearbeitung 10 v. H. des Ladenpreises erhalten und daß der Verleger mit dem Satz alsbald nach Zusendung des ersten Teils der Urschrift beginnen solle. Einen Teil der Urschrift sandte der Verfasser am 6. Februar 1924 ein. Am 20. März 1924 teilte er dem Verleger mit, daß er vom Vertrag zurücktrete, weil mit der Drucklegung nicht alsbald begonnen worden sei. Der Verleger klagte auf Feststellung, daß der Vertrag fortbestehe. Die Klage drang in allen Instanzen durch. Der Verfasser hatte vor allem geltend gemacht, daß der Verlagsvertrag gegen die guten Sitten gehe und darum nichtig sei. Er hatte hiefür vorgebracht:

1. Seine Unerfahrenheit auf dem Gebiete des Verlagsrechts sei von dem Verleger ausgebeutet worden, um von ihm die Übertragung des Verlagsrechts an sämtlichen Auflagen des Werkes für die ganze Dauer der Schutzzeit zu erlangen;

2. er sei in unzulässiger Weise geknebelt worden, indem er gezwungen sei, während des ganzen Restes seines Lebens einen großen Teil seiner Arbeitskraft den Diensten des Verlegers zu widmen;

3. er sei der Gefahr einer Beraubung seines geistigen Eigentums durch die Bestimmung ausgesetzt, daß der Verleger in allen möglichen Fällen berechtigt sei, sein Werk durch einen von ihm einseitig ausgewählten Dritten neu bearbeiten zu lassen;

4. er sei auch vermögensrechtlich schwer geschädigt, da er für die Ausbeutung seiner geistigen Arbeit durch fremde Personen in den ersten 10 Jahren nur eine geringe und später gar keine Entschädigung mehr erhalte.

Das Reichsgericht widerlegte alle diese Punkte eingehend.

1. Nach dem Gesetz über das Verlagsrecht ist es zweifellos zulässig, daß dem Verleger von vorneherein das Recht eingeräumt wird, sämtliche Auflagen eines Werkes zu verlegen. Es besteht in dieser Hinsicht auch kein Unterschied zwischen gewöhnlichen Schriftwerken und solchen hochwissenschaftlichen Inhalts. Daraus, daß solche Verträge den Verfasser auf lange Zeit und stärker als den Verleger binden, ergibt sich noch nicht, daß sie gegen die guten Sitten verstoßen. Besondere Tatsachen, die im gegebenen Falle zu einer solchen Beurteilung Anlaß gegeben hätten, waren nicht nachgewiesen. Daß der Beklagte, der beim Abschluß des Vertrags schon Professor an einer deutschen technischen Hochschule war, sich über den Inhalt und die Tragweite der Bestimmungen des Vertrags in einem Irrtum befunden haben sollte, war nach den Feststellungen des Berufungsgerichts als ausgeschlossen zu erachten. Wenn er nachträglich den Vertrag für weniger vorteilhaft ansah als zur Zeit des Abschlusses, ergab sich daraus kein Anhalt für ein unlauteres Verhalten des Klägers.

2. Die Verpflichtungen, die der Beklagte für den Fall einer neuen Auflage des Werkes übernommen hatte, entsprachen dem, was in Verlagsverträgen, auch solchen über Werke von höchster wissenschaftlicher Bedeutung, gang und gäbe ist und dem Vorteil des Verfassers nicht minder dient als dem des Verlegers. In der Regel wird der Verfasser dem Stoff, den er in einem wissenschaftlichen Werk verarbeitet hat, auch weiter seine Aufmerksamkeit zuwenden, so daß es ihm keine übermäßige Schwierigkeit macht, die Bearbeitung der neuen Auflage in angemessener Frist, wie sie ihm der Verleger selbstverständlich bewilligen muß, druckfertig herzustellen. Ausnahmefälle, die durch besondere persönliche Verhältnisse des Verfassers eintreten können, vermögen bei der Beurteilung der Frage, ob die Verpflichtung zur Übernahme einer Neubearbeitung eine für die Rechtsordnung unerträgliche Knebelung des Verfassers darstellt, keine Rolle zu spielen; allgemeine Gesichtspunkte, die eine solche Verpflichtung unter allen Umständen als anstößig oder sittenwidrig erscheinen lassen, sind weder aus den Anschauungen der maßgebenden Kreise über die Freiheit der geistigen Arbeit noch aus der Notwendigkeit des

Schutzes des wirtschaftlich Schwächeren gegen Ausbeutung durch den wirtschaftlich Stärkeren herzuleiten. Dem Kläger stand auch frei, ohne Vermögenseinbuße seine Mitarbeit an neuen Auflagen zu verweigern. Sowohl in der Rechtsprechung wie im Schrifttum wird es als zulässig anerkannt, daß der Verleger den Verfasser im voraus vertragsmäßig verpflichtet, bei künftigen Auflagen die Neubearbeitung des Werkes vorzunehmen.

3. Der Auffassung, daß die Bearbeitung des in einem wissenschaftlichen Schriftwerk verkörperten geistigen Schaffens einer lebenden Persönlichkeit durch einen Dritten gegen die guten Sitten verstößt, kann nicht zugestimmt werden. In den Vertragsnormen, die zwischen dem Verband der deutschen Hochschullehrer und dem akademischen Schutzverein einerseits, dem Börsenverein der deutschen Buchhändler andererseits vereinbart worden sind, ist vorgesehen, daß der Verfasser, der die Bearbeitung einer neuen Auflage ablehnt, den unveränderten Abdruck oder die Bearbeitung durch einen Dritten nur aus wichtigen Gründen verweigern darf; damit ist anerkannt, daß es mit der Schriftstellerehre und dem wissenschaftlichen Ansehen des Verfassers eines Schriftwerkes sehr wohl vereinbar sein kann, daß eine neue Auflage durch einen Dritten bearbeitet wird. Eine Übervorteilung des Beklagten durch den Kläger war nicht anzunehmen, da dieser die Bearbeitung der neuen Auflage durch einen Dritten nur dann vornehmen lassen durfte, wenn der Beklagte daran verhindert war oder seine Tätigkeit freiwillig versagte.

4. Auch die Regelung der Vergütung für den Fall, daß der Verfasser die neuen Auflagen nicht selbst bearbeitete, insbesondere ihre Beschränkung auf die Dauer von 10 Jahren seit Eintritt des Hinderungsgrundes, war nicht als anstößig und offenbar unbillig anzuerkennen. Es entspricht der Erfahrung, daß ein Werk über ein wissenschaftliches Gebiet, für dessen Entwicklung Veränderungen der Gesetzgebung oder der wirtschaftlichen Verhältnisse von großer Bedeutung sind, mit jeder neuen Auflage wesentliche Umgestaltungen erfährt und daß, wenn die neuen Auflagen durch andere Personen bearbeitet werden, die Geistesarbeit des ursprünglichen Verfassers hinter jener der späteren Bearbeiter immer

mehr zurücktritt. Es war darum nicht ohne weiteres als eine verwerfliche Übervorteilung des Verfassers anzusehen, wenn seine vermögensrechtliche Beteiligung an späteren, von ihm selbst nicht mehr bearbeiteten Auflagen auf 10 Jahre zeitlich begrenzt wurde.

Auch der Rücktritt vom Vertrag war nicht gerechtfertigt. Regelmäßig ist der Verleger zum Beginn der Vervielfältigung erst verpflichtet, wenn ihm das ganze Werk übergeben ist. Im vorliegenden Falle war zugesichert worden, daß mit dem Satz nach Einsendung des ersten Teils des Werkes begonnen würde. Der Beklagte hatte nur so wenig Urschrift gesandt, daß dem Verleger nicht verdacht werden konnte, wenn er zunächst noch einige Zeit wartete. Da weitere Urschrift nicht folgte, hatte der Beklagte es sich selbst zuzuschreiben, wenn die Drucklegung sich verzögerte. Langfristige Vertragsverhältnisse können allerdings aus wichtiger Ursache gelöst werden, wenn ihre Fortsetzung nach den besonderen Umständen des Falles den Beteiligten nicht zugemutet werden kann; eine solche wichtige Ursache fehlte aber hier. Unstimmigkeiten, die sich früher ergeben hatten, genügten nicht; sie hätten nur zu Unterstützung neu hervorgetretener Ursachen herangezogen werden können. Das Verhältnis zwischen den Parteien war allerdings dadurch verschlimmert worden, daß der Beklagte gegen den Kläger Beleidigungen ausgesprochen hatte; aus seinem eigenen schuldhaften Verhalten konnte er aber kein Recht herleiten, sich gegen den Willen des Klägers vom Vertrag zu lösen. (I, 5. Dezember 1925.)

Amtl. Sammlg. S. 172—189.

Vgl. Bd. 60 S. 174; Bd. 79 S. 160; Bd. 86 S. 107; Bd. 110 S. 275.

42. Enteignung. Angemessene Entschädigung. Feststellungsklage. (RVerf. Art. 153; WohnMangVO. § 5; ZPO. §§ 256, 287.) Eine Fabrik, deren Betrieb eingestellt worden war, wurde von der Gemeinde beschlagnahmt und in ein Wohnhaus umgewandelt. Das Mieteinigungsamt setzte eine für diese Benutzung des Hauses zu zahlende Vergütung fest. Der Eigentümer behauptete, weiteren Schaden erlitten zu haben, weil das Haus an Angehörige der niedrigsten Volksschichten vermietet und mit Wanzen verseucht worden sei, so daß auch das Nachbarhaus, das ihm gleichfalls gehörte, an Wert verloren habe. Der Klage auf Schadenersatz wurde zum Teil stattgegeben. Die Eingriffe in das Recht des Eigentümers, die von zuständigen Behörden auf Grund der gesetzlichen Vorschriften zur Bekämpfung des Wohnungsmangels vorgenommen werden, sind als Enteignung anzusehen. Eine Enteignung darf nur gegen angemessene Entschädigung vorgenommen werden, wenn nicht ein Reichsgesetz anderes bestimmt. Eine solche Bestimmung war weder in der Wohnungsmangelverordnung, wie sie zur Zeit der Beschlagnahme des Hauses galt, noch in den späteren Gesetzen zur Bekämpfung des Wohnungsmangels enthalten. Als angemessene Entschädigung kann nicht Ersatz des vollen Schadens verlangt werden, wie er im Falle einer unerlaubten Handlung beansprucht werden könnte, sondern nur der Ersatz des Wertes des enteigneten Grundstücks und der Wertminderung des Restgrundbesitzes des Eigentümers. Demgemäß war nicht nur der Minderwert zu ersetzen, der an dem in Beschlag genommenen Haus entstanden war, sondern auch jener, der sich an dem Nachbarhaus ergeben hatte, da für die Enteignung die beiden Häuser als ein Grundstück anzusehen waren. Das Berufungsgericht hatte eine bestimmte Summe zugesprochen und auch die Verpflichtung der beklagten Gemeinde zur Erstattung des weiterhin entstandenen und in Zukunft entstehenden Schadens festgestellt; es wurde in dem angegebenen Abmaß aufrechterhalten. Auch die Voraussetzungen für eine Feststellungsklage wurden für gegeben erachtet, weil mit der Möglichkeit des Eintritts weiterer, mit der Beschlagnahme in ursächlichem Zusammenhang stehender Schäden zu rechnen war und die beklagte Gemeinde sich lediglich bereit erklärt hatte, die vom Mieteinigungsamt festgesetzte Vergütung zu zahlen und das Haus später wieder in den früheren Zustand zu versetzen. (III, 8. Dezember 1925.) Amtl. Sammlg. S. 189—194.

Vgl. Bd. 30 S. 266; Bd. 44 S. 333; Bd. 67 S. 202; Bd. 71 S. 204; Bd. 82 S. 433; Bd. 107 S. 229; Bd. 111 S. 224.

43. **Lieferungsvertrag. Vorleistung. Aufwertung.** (BGB. §§ 242, 321, 322.) Für eine Bierbrauerei in der Schweiz wurden im Jahre 1914 Einrichtungsgegenstände

bestellt. Infolge des Krieges wurde die Lieferung nicht ausgeführt. Im Jahre 1919 verhandelten die Parteien über die Sache; da der Besteller nur den vereinbarten Kaufpreis in Papiermark zahlen wollte, wurde die Lieferung abgelehnt. Im Jahre 1920 wurde Klage auf Lieferung und Schadenersatz wegen Verzugs erhoben. Der Beklagte verlangte Aufwertung des Preises. Der Klage wurde vom Berufungsgericht stattgegeben, soweit sie auf Lieferung ging; zu der Frage der Aufwertung wurde keine Stellung genommen, nachdem die beklagte Partei sich bereit erklärt hatte, den im Jahre 1914 vereinbarten Preis nach dem Stand der damaligen Valuta in Schweizer Franken zu zahlen. Das Reichsgericht verwies die Sache zurück. Die Frage, ob und in welchem Maße Aufwertung verlangt werden kann, ist nach dem jetzt geltenden Recht zu beurteilen; für die Frage aber, ob die Verweigerung einer Aufwertung einer Partei zum Verschulden anzurechnen ist, kommt es auf den Rechtsstand zur Zeit der Verweigerung an. Im Jahre 1919 wurde noch an dem Grundsatz: „Mark ist Mark" festgehalten; damals konnte nicht ohne weiteres Aufwertung verlangt werden. Demgemäß durfte der Beklagte wegen der eingetretenen Geldentwertung die Lieferung nicht verweigern, da er nach dem Vertrag zur Vorleistung verpflichtet war. Das Berufungsgericht hätte aber eine Entscheidung über die nunmehr vorzunehmende Aufwertung treffen müssen. Allerdings kann eine solche Entscheidung unterbleiben, wenn der zur Aufwertung Verpflichtete bereit und imstande ist, den Kaufpreis bei Fälligkeit mit der vom Gericht für angemessen erachteten Aufwertung zu zahlen. Anders liegt aber der Fall, wenn Anlaß zu der Befürchtung besteht, daß der andere Teil sich seiner Aufwertungspflicht zu entziehen suchen oder daß sich über die Höhe der Aufwertung Streit ergeben werde. In einem solchen Falle würde der Hinweis auf die Vorleistungspflicht nicht in Übereinstimmung mit dem Grundsatz von Treu und Glauben stehen; dieser Grundsatz führt vielmehr dazu, daß, wenn der Anspruch auf die Gegenleistung und dessen rechtzeitige Erfüllung gefährdet ist, der zur Vorleistung verpflichtete Vertragsteil die ihm obliegende Leistung bis zur Bewirkung der Gegenleistung oder bis zur Sicherstellung verweigern darf. So lag der Fall hier. Der Umstand, daß sich der Kläger zur angemessenen Aufwertung nach dem Kurs der Schweizer Währung im Jahre 1914 grundsätzlich bereit erklärt hatte, bot dem Beklagten noch keine Gewähr dafür, daß er rechtzeitig in den Besitz des ihm gebührenden Entgelts gelangen werde, zumal der Kläger mit einer Schadenersatzforderung aufrechnen wollte. Bis zur Entscheidung hierüber hätte der Beklagte des angemessenen Entgelts für seine Vorleistung entbehrt; das war mit dem Grundsatz von Treu und Glauben nicht vereinbar. (II, 8. Dezember 1925.) Amtl. Sammlg. S. 194—198.

44. **Jagdpacht. Vorvertrag. Schriftform.** (BGB. § 126; PrJagdO. § 22.) Bei der Versteigerung einer Jagd wurde ein Höchstgebot von 6100 Mark gelegt; der Bieter unterzeichnete das über die Versteigerung aufgenommene Protokoll mit seinem Namen. Nach den Pachtbedingungen stand es dem Jagdvorsteher frei, binnen vier Wochen den Zuschlag zu verweigern. Zwei Wochen nach der Versteigerung erteilte er den Zuschlag, vermerkte das im Versteigerungsprotokoll und unterzeichnete den Vermerk. Der Bieter verweigerte die Unterzeichnung des Pachtvertrags. Es kam zu einer neuen Versteigerung; hier wurde nur ein Meistgebot von 2300 Mark erzielt. Die Gemeinde verlangte von dem Meistbieter der ersten Versteigerung Schadenersatz. Das Landgericht gab der Klage statt; das Reichsgericht wies sie ab. Die nach der preußischen Jagdordnung für Jagdpachtverträge vorgeschriebene Schriftform war nicht gewahrt. Die gesetzliche Schriftform für Verträge erfordert, daß entweder beide Parteien die den Vertrag enthaltende Urkunde unterzeichnen oder, wenn über den Vertrag mehrere gleichlautende Urkunden aufgenommen werden, jede Partei die für die andere bestimmte Urkunde unterschreibt. Hier lagen gesonderte Erklärungen beider Teile vor; daß sich diese auf dem Versteigerungsprotokoll befanden, genügte nicht zur Wahrung der Schriftform. Das Landgericht hatte angenommen, daß es sich nur um einen Vorvertrag gehandelt habe und daß dieser der Schriftform nicht bedürftig gewesen sei. Das Reichsgericht billigte diese Auffassung nicht. Vorverträge bedürfen grundsätzlich für ihre Gültigkeit derselben

Form, die für den Hauptvertrag gesetzlich vorgeschrieben ist. Der Zweck der Schriftform ist, Unklarheiten über den Inhalt des Vertrags zu vermeiden und die Parteien vor einem übereilten Abschluß zu behüten; dieser Zweck würde vereitelt, wenn formlose Vorverträge gültig wären und auf ihrer Grundlage der formgerechte Abschluß des Hauptvertrags oder im Falle der Verweigerung Schadenersatz verlangt werden könnte. Daß Vorverträge für mehrjährige Mietverträge auch ohne schriftliche Form für gültig erklärt worden sind, rechtfertigt sich daraus, daß formlose mehrjährige Mietverträge nicht ungültig, sondern lediglich beschränkt wirksam sind und daß der Erwerber des Grundstücks, zu dessen Sicherheit wesentlich das Formerfordernis für mehrjährige Mietverträge vorgeschrieben ist, an formlose Vorverträge nicht gebunden ist. Auf Jagdpachtverträge ist diese Ausnahme von der Regel nicht auszudehnen. (VI, 8. Dezember 1925.)

Amtl. Sammlg. S. 199—202.

Vgl. Bd. 43 S. 139; Bd. 48 S. 186; Bd. 50 S. 48; Bd. 53 S. 239; Bd. 86 S. 30; Bd. 87 S. 198; Bd. 105 S. 62.

45. **Wechsel. Begebungsvertrag.** (BGB. § 935; WO. Art. 74, 82.) Ein auf eine Aktiengesellschaft gezogener und von dieser angenommener Wechsel wurde einer Genossenschaft, die gegen die Aktiengesellschaft eine Forderung hatte, zu dem Zweck übergeben, daß sie versuchen solle, ihn bei einer Bank diskontieren zu lassen. Sie setzte zu diesem Zweck ihr eigenes Blankogiro auf den Wechsel. Die Diskontierung wurde abgelehnt. Die Genossenschaft gab den Wechsel an die Aktiengesellschaft zurück, übersah aber, ihr Giro zu streichen. Der Direktor der Aktiengesellschaft gab den Wechsel weiter; der Inhaber ließ ihn protestieren und erhob Regreßklage gegen die Genossenschaft. Das Landgericht wies die Klage ab, weil es an einem Begebungsvertrag gefehlt habe und dieser Mangel auch einem redlichen Erwerber des Wechsels entgegengehalten werden könne. Das Berufungsgericht gab der Klage statt. Die Revision der Genossenschaft wurde zurückgewiesen. In der Regel haftet der Indossant eines Wechsels aus seinem Indossament nur dann, wenn zu dem Skripturakt noch ein Vertrag über Geben und Nehmen des Wechsels

hinzutritt; in der Person eines durch eine fortlaufende Reihe von Indossamenten legitimierten gutgläubigen Nachmanns entsteht aber der Wechselanspruch trotz fehlenden Begebungsvertrags. Nach den Vorschriften des bürgerlichen Rechts wird der papiermäßig legitimierte Erwerber eines Orderpapiers Eigentümer, wenn er das Papier ohne grobe Fahrlässigkeit vom Veräußerer erlangt hat. Die Wechselordnung spricht nicht ausdrücklich vom Eigentumserwerb des gutgläubigen Nehmers des Wechsels, sondern schließt nur den Herausgabeanspruch gegen ihn aus; unzweifelhaft hat aber das Gesetz damit dem Erwerber alle Rechte aus dem Wechsel zusprechen wollen, so daß er auch als Gläubiger die Wechselforderung geltend machen kann. Daß dem Gläubiger beim Erwerb des Wechsels der gute Glaube gefehlt hatte, war nicht nachgewiesen. (II, 8. Dezember 1925.)

Amtl. Sammlg. S. 202—205.

Vgl. Bd. 5 S. 84; Bd. 19 S. 31, 49, 328; Bd. 53 S. 210; Bd. 57 S. 391; Bd. 74 S. 185; Bd. 87 S. 367; Bd. 103 S. 89.

46. Haftpflichtversicherung. Aufwertung. (BGB. § 242; AufwG. §§ 59, 60, 61, 62; VersAufsG. §§ 50, 56.) Auf einer Jagd verletzte im Jahre 1919 ein Jagdgast einen anderen durch einen Schuß. Dessen Klage auf Schadenersatz wurde dem Grunde nach als berechtigt anerkannt; über die Höhe wurde nicht entschieden. Im Oktober 1923 kam ein Vergleich zustande, wornach die Entschädigung auf 2310 Goldmark festgesetzt wurde. Der Schuldner war seit dem Jahre 1912 gegen Haftpflichtschaden bis zum Betrage von 50000 Mark versichert. Er verlangte von der Versicherungsgesellschaft den Ersatz der Vergleichssumme; diese sandte ihm 50000 Papiermark und lehnte weitere Zahlungen ab. Die Klage gegen sie drang durch. Das Aufwertungsgesetz vom 16. Juli 1925 findet auch auf jene Sachen Anwendung, die bei seinem Inkrafttreten in der Revisionsinstanz anhängig waren. Demgemäß war von Amts wegen die Frage zu prüfen, ob der in der Klage geltend gemachte Anspruch unter das Aufwertungsgesetz fiel. Sie war zu verneinen, da es sich um keine Haftpflicht mit unbegrenzter Deckung handelte, die Deckung vielmehr auf 50000 Mark beschränkt war. Auch ein Prämienreservefond hatte weder nach gesetzlicher Vorschrift noch nach Anordnung der Aufsichtsbehörde gebildet werden müssen. Die Aufwertung war also nach allgemeinen Vorschriften zu beurteilen. Eine Aufwertung der Höchstsumme bei der Haftpflichtversicherung kann nicht in Frage kommen, da nur Forderungen der Aufwertung zugänglich sind; die Höchstsumme bildet nur die Haftungsgrenze. Als Höchstsumme muß der Goldmarkbetrag angesehen werden, den die vereinbarte Versicherungssumme zur Zeit des Abschlusses des Versicherungsvertrags gehabt hat. Soweit der Schaden des Versicherten die Höchstsumme übersteigt, kann er, abgesehen von einem etwaigen Verzugsschaden, nicht geltend gemacht werden; insoweit ist er auch bei der Aufwertung der Entschädigungsforderung nicht in Betracht zu ziehen. Der Aufwertung unterliegt also nur die sich innerhalb der Haftungsgrenze bewegende Entschädigungsforderung. Hiefür gelten die allgemeinen Grundsätze, wornach auch die Vermögenslage des Versicherers, insbesondere der Umstand zu berücksichtigen ist, daß sich der Vermögensstand des Versicherers infolge der Geldentwertung erheblich vermindert hat. Im vorliegenden Fall war die Höchstsumme von 50000 Mark schon vor dem Krieg festgesetzt worden; ihr entsprach eine Summe von 50000 Goldmark. Der verlangte Betrag hielt sich innerhalb dieser Grenze (VI, 8. Dezember 1925.) Amtl. Sammlg. S. 205—208.

Vgl. Bd. 110 S. 256; Bd. 111 S. 102.

47. **Aufwertung. Revisionssumme.** (ZPO. §§ 3, 6, 546.) Aus einem Kauf wurde auf Erfüllung geklagt; der Beklagte wurde zur Lieferung Zug um Zug gegen Zahlung des auf 3500 Mark aufgewerteten Kaufpreises verurteilt. Er stützte seine Revision darauf, daß nach einem früheren Urteil des Reichsgerichts, durch das die Sache zurückverwiesen worden war, nur eine Aufwertung auf 1750 Goldmark zulässig sei. Die Revision wurde als unzulässig zurückgewiesen. Es handelte sich nicht mehr darum, ob der Beklagte zur Lieferung verpflichtet war, sondern nur darum, welche Gegenleistung er beanspruchen konnte; demgemäß war für die Berechnung des Streitwerts nicht der Wert der Leistung, sondern jener der Gegenleistung maßgebend. Den Beschwerdegegenstand bildete die Summe, welche der Kläger gegenüber der

Urteilssumme weniger zahlen wollte, also 1750 Mark. Die Revisionssumme war demnach nicht erreicht. (II, 8. Dezember 1925.) Amtl. Sammlg. S. 209—210.

48. **Schenkung unter Auflage. Geldentwertung. Werkvertrag. Vertragsauslegung.** (BGB. §§ 242, 526.) Eine Kirchengemeinde verpflichtete sich im Jahre 1913 gegen eine als Schenkung bezeichnete Zuwendung von 7500 Mark, das Erbbegräbnis einer Familie auf ihrem Friedhof für die Dauer seines Bestehens in bestimmter Weise zu unterhalten. Mit Rücksicht auf die Geldentwertung weigerte sie sich, die Verpflichtung weiter zu erfüllen. Die gegen sie erhobene Klage wurde abgewiesen. Es handelte sich nicht um einen Werkvertrag, sondern um eine Schenkung unter Auflage. Die Kirchengemeinde wird es in solchen Fällen ablehnen, als Unternehmer angesehen zu werden, der einen entgeltlichen Austauschvertrag abschließt; sie übernimmt die der Schenkung beigefügte Auflage, um den Schenker in der Erfüllung einer Pflicht der Pietät mit ihren dafür besonders geeigneten Einrichtungen zu unterstützen und damit ihre eigenen auf die sittliche Hebung der Menschen gerichteten ethischen Aufgaben und Ziele zu fördern. Auch auf der anderen Seite wird nicht beabsichtigt, eine wirtschaftliche Leistung zu erkaufen; die Zuwendung wird in der Regel so bemessen, daß ihr Ertrag die laufenden Ausgaben der Grabpflege (Erhaltung und Schmuck) reichlich deckt, so daß der Stamm nicht angegriffen zu werden braucht und einmal, wenn auch in ferner Zeit, der Kirchengemeinde als freie Bereicherung verbleibt. Der vorliegende Sachverhalt enthielt nichts, was gegen diese Auffassung sprach. Bei einer Schenkung unter Auflage hat der Beschenkte das Recht, die Erfüllung der Auflage zu verweigern, wenn infolge eines Mangels im Recht oder eines Mangels der geschenkten Sache der Wert der Zuwendung die Höhe der zur Vollziehung der Auflage erforderlichen Aufwendungen nicht erreicht. Es besteht kein Bedenken, diesen Rechtsgedanken auf ähnliche Tatbestände anzuwenden, zumal wenn die Berücksichtigung von Treu und Glauben und die Unzumutbarkeit der weiteren Vollziehung der Auflage wegen völliger Veränderung der wirtschaftlichen Verhältnisse nach derselben Richtung weisen; das muß

besonders dann gelten, wenn nachträglich eine Verschlechterung oder Entwertung eingetreten ist, die der Beschenkte nicht abwenden konnte. Die beklagte Kirchengemeinde hatte die ihr zugewendeten Gelder nach den bestehenden Vorschriften mündelsicher angelegt und demgemäß verloren. Mit dem Wegfall der Bereicherung war aber auch die Grundlage der Verpflichtung hinfällig geworden. Das Berufungsgericht hatte es zwar abgelehnt, mangels ausdrücklicher Bestimmungen den Vertrag in dem Sinne auszulegen, daß der Anspruch auf Vollziehung der Auflage nur solange bestehen solle, als die Schenkung einen ausreichenden Zinsenertrag gewährte. Das erklärte das Reichsgericht für rechtsirrig. Willenserklärungen müssen nicht immer ausdrücklich kundgegeben werden; es ist zulässig, sie aus den Umständen zu entnehmen. In Fällen der vorliegenden Art entspricht es regelmäßig der Absicht der Beteiligten, mit einer dauernden Bereicherung der beschenkten Kirchengemeinde die Sicherung der Vollziehung der Auflage durch einen mehr oder minder großen Teil der Nutzungen zu verbinden. Daraus ergab sich die Berechtigung der beklagten Gemeinde, sich gegenüber der Klage auf den Verlust des geschenkten Geldes zu berufen. Daß sie an dem Verlust ein Verschulden treffe, war nicht behauptet. (IV, 10. Dezember 1925.) Amtl. Sammlg. S. 210—215.

Vgl. Bd. 60 S. 238.

49. Offene Versicherung. Deckungszusage. Vergleich. Falscher Sachverhalt. Rechtsirrtum. Anerkenntnis. Anfechtung. Gesamtvollmacht. (BGB. §§ 164, 182, 779, 781.) Der Reichsverband für Herrenbekleidung hatte seine Mitglieder gegen Schaden versichert; die Versicherungen lauteten zum Teil auf Papiermark. Im Juni 1923 wurde eine Umstellung der Papiermarkversicherungen auf wertbeständige Versicherungen eingeleitet; die Versicherungsgesellschaft ermächtigte vier Beamte zum Abschluß entsprechender Verträge in der Weise, daß einer von ihnen (T.) rechtsverbindlich für sie zeichnen konnte, während die übrigen nur zu zweien zur Unterschrift berechtigt sein sollten. Ein Kaufmann in Köln meldete sein Kleiderlager zur Versicherung in der Höhe von 60000 Dollars an; am 7. August 1923 teilte ihm einer der Bevollmächtigten mit, daß das Warenlager mit der angegebenen Summe in Deckung gehalten werde und der Versicherungsschein alsbald nachfolge. Am 18. August 1923 wurde der Versicherungsschein über eine offene Versicherung des Warenlagers gegen Schaden durch Feuer, Diebstahl, Aufruhr und alle Nebengefahren mit einem Versicherungsbeginn vom 1. August 1923 an ausgefertigt und dem Kaufmann übersandt. Am 13. August 1923 hatte in seinem Lager eine Plünderung stattgefunden, bei der viele Waren geraubt und beschädigt worden waren. Es kam zu einem schiedsgerichtlichen Verfahren zwischen ihm und der Versicherungsgesellschaft; dieses endigte mit einem Vergleich, worin beide Parteien das von einem Sachverständigen aufgestellte Verzeichnis der geraubten und beschädigten Waren als richtig anerkannten und vereinbarten, den Wert der Waren durch zwei Sachverständige abschätzen zu lassen. Der Entschädigungsanspruch wurde hiernach auf 7800 Dollars festgestellt. Die Versicherungsgesellschaft verweigerte die Zahlung mit der Begründung, daß zur Zeit der Plünderung eine Versicherung nicht bestanden habe. Das Berufungsgericht wies die Klage ab. Die Revision des Klägers hatte Erfolg. Beim Abschluß des Vergleichs waren beide Parteien der Meinung, daß Versicherungsschutz zur Zeit der Plünderung begründet war; wenn dieser Sachverhalt der Wirklichkeit nicht entsprach, war der Vergleich unwirksam. Ob der Irrtum tatsächlicher oder rechtlicher Natur war, machte nichts aus; auch wenn die Vergleichsparteien ein Rechtsverhältnis voraussetzen, das in Wirklichkeit nicht besteht, liegt dem Vergleich ein falscher Sachverhalt zugrunde, da unter diesem alles begriffen ist, was die Parteien als geschehen und bestehend angesehen haben. In Wirklichkeit war aber der Versicherungsschutz gegeben. Für seine Feststellung konnte schon das Anerkenntnis der Versicherungsgesellschaft beim Abschluß des Vergleichs verwendet werden; ob sie das Anerkenntnis wegen Irrtums anfechten oder, als ohne rechtlichen Grund abgegeben, zurücknehmen konnte, war dabei nicht ausschlaggebend, da mit dem Anerkenntnis zu rechnen war, solange seine Unverbindlichkeit nicht feststand. Aber auch von dem Anerkenntnis abgesehen, war der Anspruch des Klägers auf Versicherungsschutz begründet, da ihm eine Deckungszusage erteilt worden war.

Ob für eine solche bei offenen Versicherungen, bei denen der Versicherungsgegenstand unbestimmt ist, überhaupt eine Möglichkeit besteht, war für die Entscheidung nicht von Belang; wenn die beklagte Versicherungsgesellschaft eine Deckungszusage erteilt hatte, mußte sie diese auch gegen sich gelten lassen und für die entsprechenden Erklärungen ihres Bevollmächtigten einstehen. Es fragte sich also nur, ob die Vollmacht in Ordnung ging. Daß der Beamte, der die Erklärung abgab, für die beklagte Versicherungsgesellschaft handeln wollte, stand außer Zweifel. Er hatte zwar seiner Unterschrift irrtümlich den Stempel des Reichsverbandes beigefügt, in dessen Diensten er stand; das war aber unschädlich und hinderte das Zustandekommen der Deckungszusage nicht, wenn sonst eine ausreichende Vertretungsmacht vorhanden war. Der Beamte war nur gemeinsam mit einem anderen der bevollmächtigten Beamten zur Vertretung der beklagten Versicherungsgesellschaft berechtigt. Dieser Mangel beim Abschluß des Vertrags konnte durch Genehmigung der beklagten Gesellschaft oder durch Zustimmung eines der anderen Bevollmächtigten geheilt werden; die Zustimmung brauchte nicht dem anderen Vertragsteil gegenüber erklärt zu werden, vielmehr genügte es, wenn sie dem unterzeichnenden Bevollmächtigten gegenüber ausgesprochen wurde. Das ist für die Gesamtvertretung durch mehrere gesetzliche Vertreter schon wiederholt anerkannt worden; es muß auch für die Gesamtvertretung durch mehrere Bevollmächtigte gelten. Der von dem Vollmachtgeber zum Ausdruck gebrachte Wille, daß ihn nur mehrere Personen gemeinsam vertreten sollen, wird dadurch nicht vereitelt; wenn auch dem Vertragsgegner gegenüber nur einer der Bevollmächtigten allein auftritt, verbürgt doch die Zustimmung des Mitbevollmächtigten zu seinen Erklärungen das gemeinsame Handeln. Der Kläger hatte behauptet, daß der Beamte, der ihm die Zusage erteilte, im Einverständnis mit dem Bevollmächtigten T. gehandelt habe. Das war zu prüfen. Wenn dieses Einverständnis vor den Erklärungen des Beamten ausgesprochen worden war, konnte darin auch die an sich zulässige Bevollmächtigung dieses Beamten durch T. gelegen haben, an seiner Stelle abzuschließen; eine solche Ermächtigung ist auch bei Gesamtvertretern untereinander zulässig. (VI, 11. Dezember 1925.) Amtl. Sammlg. S. 215—221. Vgl. Bd. 81 S. 325; Bd. 101 S. 343; Bd. 106 S. 268.

50. Sicherheit. Verwahrungsvertrag. Darlehen. Aufwertung. Rechtsweg. (GVG. § 13; BGB. § 242, 607, 700; EG.BGB. Art. 144, 145; PrHinterlO. §§ 1, 3, 6, 13, 20, 23.) Zur Abwendung der Untersuchungshaft wurde im Jahre 1919 eine Sicherheit von 150000 Mark hinterlegt. Am 23. Februar 1924 wurde der Haftbefehl aufgehoben und die Rückgabe der Sicherheit angeordnet. Der preußische Staat verweigerte die Rückgabe mit der Begründung, daß die Summe wertlos geworden sei. Es wurde auf Zahlung eines Teilbetrags von 2000 Reichsmark nebst Zinsen seit dem Tage der Hinterlegung geklagt. In zwei Instanzen drang die Klage durch. Das Reichsgericht wies sie ab. Der Rechtsweg war zulässig. Für die Entscheidung der Frage, ob eine bürgerliche Rechtsstreitigkeit vorliegt, kommt es nicht darauf an, ob der verfolgte Anspruch nach den gegenwärtigen Rechtsansichten dem Privatrecht oder dem öffentlichen Recht zuzuweisen ist, vielmehr hat die Rechtsauffassung, die zur Zeit der Erlassung des Gerichtsverfassungsgesetzes bestand, als maßgebend zu gelten. Daß damals Streitigkeiten über die Rückgabe einer Sicherheit als bürgerliche Rechtsstreitigkeiten angesehen wurden, ergibt sich aus den Entscheidungen des Reichsgerichts aus jener Zeit. Die seitdem eingetretenen Gesetzesänderungen nötigen nicht zu einer Aufgabe dieser Ansicht; insbesondere ist aus der Vorschrift, daß Beschwerden gegen die Entscheidungen der Hinterlegungsstelle im Aufsichtsweg erledigt werden, die Unzulässigkeit des Rechtswegs nicht herzuleiten. Demgemäß stand auch für den Aufwertungsanspruch des Klägers der Rechtsweg offen. Innerlich war aber dieser Anspruch nicht begründet. Das Berufungsgericht hatte das Rechtsverhältnis als einen unregelmäßigen Verwahrungsvertrag angesehen, auf den die Vorschriften über das Darlehen Anwendung finden. Damit war dem wesentlich öffentlich-rechtlichen Charakter der Hinterlegung keine Rechnung getragen. Der Staat eröffnet die Hinterlegungsstellen zu dem Zweck, um den Beteiligten in den von den Gesetzen vorgesehenen Fällen die Möglichkeit der Sicherheitsleistung zu geben. Er übt damit ein

Hoheitsrecht aus. Es kann nicht davon die Rede sein, daß er mit den Hinterlegern Verträge schließe, die nach privatrechtlichen Gesichtspunkten zu beurteilen wären. Die Verbindlichkeit des Staates zur Verwahrung und Herausgabe beruht nicht auf irgendeinem Vertragsverhältnis, sondern auf den gesetzlichen Bestimmungen über das Hinterlegungswesen. Die Anwendung der Vorschriften des bürgerlichen Rechts über Treu und Glauben auf Rechtsverhältnisse des öffentlichen Rechts ist allerdings nicht grundsätzlich unstatthaft; die für die Hinterlegung maßgebende landesrechtliche Regelung stand aber im gegebenen Falle einer Aufwertung entgegen. Wäre das im Jahre 1919 hinterlegte Geld gesondert verwahrt worden, so hätte der Hinterleger nichts anderes als die damals übergebenen, inzwischen wertlos gewordenen Papiermark zurückverlangen können. Die preußische Hinterlegungsordnung schreibt nun allerdings vor, daß hinterlegte Gelder in das Eigentum des Staates übergehen und die Staatskasse dem zum Empfang Berechtigten für Kapital und Zinsen hafte. Diese Vorschrift soll nur der Vereinfachung des Hinterlegungswesens dienen; damit die einzelnen, von den Hinterlegern gegebenen Beträge nicht getrennt verwahrt werden müssen, macht sich der Staat anheischig, sie aus seinen Mitteln zurückzuzahlen und läßt sie daher in sein Eigentum übergehen. Aus dieser inneren Verwaltungsmaßnahme kann der Hinterleger kein Recht herleiten, besser behandelt zu werden, als wenn das Geld gesondert verwahrt worden wäre; insbesondere geht es nicht an, den Staat einem die Befriedigung eigenen Geldbedarfs erstrebenden Darlehensnehmer gleichzustellen. Ein Anspruch auf Aufwertung von hinterlegten Sicherheiten ist also zu verneinen. (VI, 11. Dezember 1925.)

Amtl. Sammlg. S. 221—226.

Vgl. Bd. 92 S. 313; Bd. 93 S. 79, 203; Bd. 106 S. 179.

51. **Vergleich. Anfechtung. Widerrechtliche Drohung.** (BGB. § 123.) Während des Urlaubs eines Bankdirektors wurde entdeckt, daß er mit Mitteln der Bank für seine eigene Rechnung spekuliert hatte. Zwischen ihm und der Bank wurde dann ein Vergleich geschlossen, worin er sich einverstanden erklärte, daß die Bank sich wegen ihrer Forderungen aus den Wertpapieren be-

friedige, die sich bei ihr auf seinen Namen oder auf den Namen seiner Angehörigen in Verwahrung befanden; auf weitere Ansprüche verzichtete die Bank. Er focht den Vergleich an, weil er zum Abschluß widerrechtlich durch Drohung mit der Beschlagnahme seines ganzen Vermögens und Einleitung eines Strafverfahrens bestimmt worden sei. In zwei Instanzen drang die Klage durch. Das Reichsgericht verwies die Sache zurück. Der Vergleich war nicht vorbehaltlich einer Feststellung der Forderungen der Bank gegen den Kläger abgeschlossen worden, vielmehr hatte er die hinterlegten Papiere endgültig der Bank überlassen. Das Berufungsgericht hatte seine Entscheidung damit begründet, daß die Bank auf eine solche Überlassung keinen Anspruch gehabt habe. Damit war aber die Frage unrichtig gestellt. Nicht darauf kam es an, ob der Abschluß des Vergleichs so, wie er erfolgt war, beansprucht werden konnte — ein solcher Anspruch wird regelmäßig nicht gegeben sein — sondern darauf, ob der Bank die Forderung zustand, über die sie sich vergleichen wollte oder ob sie wenigstens gutgläubig annahm, eine solche Forderung zu haben. Durch den Vergleich sollte der Streit über die Forderung im Wege gegenseitigen Nachgebens beseitigt werden. Daraus allein, daß die Bank ihre Forderungen noch nicht genau beziffern konnte und die Möglichkeit bestand, daß sie niedriger sein würden als der Betrag, der ihr durch den Vergleich zufloß, konnte nicht auf das Fehlen des guten Glaubens der Bank an das Bestehen ihrer Forderungen geschlossen werden. Wenn sie aber ihre Forderungen für berechtigt hielt, waren es erlaubte Rechtsbehelfe, wenn sie dem Kläger die Beantragung eines Arrestes oder die Erstattung einer Strafanzeige in Aussicht stellte. Zu prüfen war, ob der Vergleich nicht wegen Verstoßes gegen die guten Sitten nichtig war; zu Bedenken in dieser Richtung gab Anlaß, daß der Kläger auch fremdes Eigentum ausliefern mußte und daß ihm durch das Ablehnen jeder Überlegungsfrist die Möglichkeit freier Entschließung genommen war. (VI, 11. Dezember 1925.) Amtl. Sammlg. S. 226—229.

Vgl. Bd. 110 S. 384.

52. **Eisenbahnfracht. Selbstverladung. Beweislast. Wahrscheinlichkeitsbeweis.** (HGB. § 459; EVO. §§ 84,

86.) Von einer Sendung Eier, die der Absender selbst in den Bahnwagen verladen hatte, wurde ein Teil entwendet, ein Teil beschädigt. Der Klage auf Schadenersatz stellte die Bahn den Einwand entgegen, daß die Sendung mangelhaft verladen gewesen sei; der Kläger habe eine Luftklappe des Wagens nicht geschlossen und der Dieb sei wahrscheinlich durch diese in den Wagen gelangt. Das Berufungsgericht gab der Klage statt. Das Reichsgericht verwies die Sache zurück. Regelmäßig haftet die Bahn für den Schaden, den das Gut in der Zeit von der Annahme zur Beförderung bis zur Ablieferung erleidet. Das gilt nicht bei besonderen Gefahren, die in der Eisenbahnverkehrsordnung aufgestellt sind; wenn ein Schaden den Umständen nach aus einer dieser besonderen Gefahren entstehen konnte, wird vermutet, daß er aus ihr entstanden ist. Diese Vermutung darf nicht über ihre Grenze hinaus ausgedehnt werden. Wenn die Mangelhaftigkeit der Verpackung feststeht und der Schaden aus ihr entstanden sein kann, trifft die Vermutung zu; für die Mangelhaftigkeit der Verpackung ist aber die Bahn beweispflichtig. Bei dem Massenbetrieb des Eisenbahnverkehrs ist sie freilich nicht in der Lage, die Ordnungsmäßigkeit der Selbstverladung bei der Abnahme einer Wagensendung immer genau zu prüfen. Dieser Umstand muß beachtet werden bei den Anforderungen, die an den von der Bahn zu erbringenden Nachweis der Mangelhaftigkeit der Selbstverladung zu stellen sind. Hier kommt der Wahrscheinlichkeitsbeweis (Beweis des ersten Eindrucks, Beweis auf den ersten Besicht) zur Geltung. Steht ein gewisser Tatbestand fest, der bei regelmäßigem Ablauf der Dinge nach der Erfahrung des Lebens auf eine bestimmte schadenstiftende Ursache zurückzuführen ist, so wird im allgemeinen derjenige, der einen vom gewöhnlichen Verlauf abweichenden Gang des Geschehens behauptet, das zu beweisen haben. Hierauf hatte das Berufungsgericht keine Rücksicht genommen. Die Luftklappe des Wagens war bei dessen Eintreffen am Bestimmungsort offen; sie konnte, wenn sie ordnungsmäßig, durch Verschieben des im Wageninnern befindlichen Riegels geschlossen worden war, ohne Beschädigung des Wagens von außen nicht geöffnet werden. Spuren, die auf ein gewaltsames Öffnen schließen ließen, hatten sich nicht vorgefunden. Unter solchen Umständen war zu prüfen, ob nicht nach dem gewöhnlichen Verlauf der Dinge angenommen werden mußte, daß die Luftklappe schon bei der Beladung des Wagens nicht ordnungsmäßig verschlossen worden war, ob also eine tatsächliche Vermutung für die Mangelhaftigkeit der Verladung gegeben war. Hinsichtlich der zerbrochenen Eier hatte das Berufungsgericht festgestellt, daß durch einen Verschiebestoß andere Kisten in die Eierkisten hineingedrängt worden waren, daß sich also die Beschädigung nicht aus der natürlichen Zerbrechlichkeit der Eier erklärte, da die Gewalt des Stoßes auch für andere als leicht zerbrechliche Güter in erheblichem Maße gefahrbringend gewesen wäre. Wenn das zutraf, wurde eine stärkere Macht wirksam, die ein Hervortreten der Gefahr leichter Zerbrechlichkeit verhinderte, also die Vermutung, daß der Schaden aus der leichten Zerbrechlichkeit entstanden war, widerlegte oder überhaupt ausschaltete. (I, 12. Dezember 1925.)

Amtl. Sammlg. S. 229—233.

Vgl. Bd. 64 S. 172; Bd. 110 S. 43.

53. **Abgeltungsverfahren. Änderung einer Entscheidung der Verwaltungsbehörde.** (AbgErwVO. §§ 1, 2.) Auf die Erhebung einer Klage gegen das Reich erklärte der Reichsfinanzminister, daß der Anspruch nicht unter das Abgeltungsverfahren falle. In einer späteren Entschließung vertrat er die entgegengesetzte Auffassung. Das Berufungsgericht erachtete diese Änderung für unwirksam. Auch das Reichsgericht entschied in diesem Sinne. Regelmäßig sind allerdings die Verwaltungsbehörden befugt, ihre Entscheidungen nachträglich zu ändern; das muß selbst dann festgehalten werden, wenn die Entscheidung in die Rechtslage des einzelnen Bürgers eingreift. Diese Regel gilt aber nicht unbedingt. In der Verordnung über die Erweiterung des Abgeltungsverfahrens für Ansprüche gegen das Reich ist die Entscheidung des Reichsfinanzministers darüber, ob der Anspruch abzugelten ist, ausdrücklich als endgültig bezeichnet. Das steht im Einklang mit dem Wesen der Sache. Die Abgeltung eines Anspruchs bedeutet, daß dieser seiner Natur als Rechtsanspruch entkleidet wird und daß an seine Stelle ein Anspruch auf Entschädigung

nach billigem Ermessen tritt; sie hat demgemäß rechtsumgestaltende Wirkung. Erklärt der Reichsfinanzminister, daß ein Anspruch abzugelten ist, so vollzieht sich damit die Rechtsumgestaltung; rückgängig kann sie nicht mehr gemacht werden. Die Erklärung, daß ein Anspruch nicht abzugelten sei, bewirkt allerdings keine Rechtsumgestaltung, besagt vielmehr im Gegenteil, daß der Anspruch in seiner bisherigen Gestalt als klagbares, vor dem ordentlichen Gerichte verfolgbares Forderungsrecht bestehen bleibe. Hier ist es begrifflich nicht ausgeschlossen, daß der Anspruch nachträglich der Abgeltung unterstellt wird; dem Gesetz entspricht aber ein solches Vorgehen nicht. Ist die Entscheidung, falls sie in dem einen Sinn getroffen wird, endgültig sowohl nach der Vorschrift des Gesetzes wie nach ihrem Wesen, so muß sie folgerichtigerweise auch nach der anderen Richtung endgültig sein. Die gegenteilige Meinung würde eine durch den Zweck des Abgeltungsverfahrens keineswegs gerechtfertigte Rechtsungleichheit zwischen dem Reich und dem Bürger mit sich bringen und eine erhebliche Rechtsunsicherheit in sich schließen. Wird die Vorfrage der Abgeltung vom Reichsfinanzminister verneint, so kann der Anspruchsberechtigte das gerichtliche Verfahren wieder aufnehmen; es geht nicht an, daß die prozeßrechtlich erworbene Rechtslage, die er dort erzielt, durch eine entgegengesetzte Erklärung des Ministers wieder hinfällig gemacht wird. Derartige befremdliche Ergebnisse sind nicht zu vermuten, müssen vielmehr voll überzeugend aus dem Gesetz ableiten lassen; die Vorschrift des Gesetzes, daß die Entscheidung des Reichsfinanzministers, ob der Anspruch abzugelten ist, endgültig sei, spricht aber gerade dagegen. (III, 18. Dezember 1925.)

Amtl. Sammlg. S. 233—236.

Vgl. Bd. 103 S. 314; Bd. 106 S. 142.

54. **Gesellschaft mit beschränkter Haftung. Abtretung von Geschäftsanteilen. Unrichtige Angabe des Kaufpreises. Formvorschrift. Nichtigkeit. Heilung.** (BGB. §§ 125, 313, 812; GmbHG. § 15.) Eine G. m. b. H. war Eigentümerin eines Baugrundstücks; ihre sämtlichen Anteile im Betrage von 20000 Mark gehörten einer Frau. Zwei Männer, die das Grundstück erwerben wollten, vereinbarten mit der Frau, daß diese ihnen gegen einen

Betrag von 300000 Mark die sämtlichen Geschäftsanteile abtreten solle. Der Vertrag wurde schriftlich niedergelegt. In einer notariellen Urkunde trat die Frau an den einen Erwerber Geschäftsanteile in der Höhe von 10000 Mark, an den anderen Geschäftsanteile in der Höhe von 9000 Mark ab; diese verpflichteten sich, als Gegenleistungen Beträge in der gleichen Höhe zu zahlen. Die Frau klagte auf Feststellung der Nichtigkeit des Abtretungsvertrags, hilfsweise auf Rückübertragung der Geschäftsanteile. In zwei Instanzen wurde der Feststellungsklage stattgegeben; das Reichsgericht verwies die Sache zurück. Zur Abtretung von Geschäftsanteilen einer G.m.b.H. bedarf es eines in gerichtlicher oder notarieller Form geschlossenen Vertrags; der gleichen Form bedarf auch eine Vereinbarung, durch welche die Verpflichtung eines Gesellschafters zur Abtretung eines Geschäftsanteils begründet wird; eine ohne diese Form getroffene Vereinbarung wird jedoch durch den formgerecht abgeschlossenen Abtretungsvertrag gültig. Demgemäß muß zwischen dem dinglichen Abtretungsvertrag und dem obligatorischen Verpflichtungsvertrag scharf unterschieden werden. Der dingliche Abtretungsvertrag braucht nur die Beurkundung der Abtretungserklärung des bisherigen Gesellschafters und der Annahmeerklärung des Erwerbers zu enthalten. Werden in die gerichtliche oder notarielle Urkunde über die Abtretung noch weitere Angaben über den Rechtsgrund, insbesondere über die zu zahlende Vergütung, aufgenommen, so wird durch die Nichtigkeit dieser Erklärungen (wegen unrichtiger oder unvollständiger Beurkundung) die Rechtsgültigkeit der Abtretung selbst nicht unmittelbar berührt. Die Rechtslage ist ähnlich wie bei der Veräußerung eines Grundstücks; wie dort die Gültigkeit der Auflassung durch die Hinzufügung eines unrichtigen Kaufpreises nicht in Frage gestellt wird, so muß das auch für die Abtretung von Geschäftsanteilen einer G.m.b.H. gelten. Der Nichtigkeit des der Auflassung zugrundeliegenden obligatorischen Verpflichtungsvertrags wegen unrichtiger Beurkundung des Preises wird nicht die Bedeutung beigemessen, die in derselben Urkunde erklärte Auflassung in ihrer Rechtsgültigkeit zu beeinflussen; vielmehr hat die Auflassung im Zusammenhang

mit der nachfolgenden Eintragung in das Grundbuch gerade die Wirkung, jenen Mangel des Grundgeschäfts zu heilen und das nicht beurkundete, aber von den Parteien tatsächlich gewollte, verdeckte Rechtsgeschäft gültig zu machen. In gleicher Weise wird bei Abtretung von Geschäftsanteilen einer G. m. b. H. durch einen formgültigen Abtretungsvertrag die auf dem Mangel der vorgeschriebenen Form beruhende Ungültigkeit des Verpflichtungsvertrags geheilt. Die Feststellungsklage hätte darum abgewiesen werden müssen. Dagegen war die Klage auf Rückübertragung der Anteile noch näher zu würdigen. Nach dem obligatorischen Verpflichtungsvertrag sollten die sämtlichen Geschäftsanteile abgetreten werden; der notariell beurkundete Abtretungsvertrag stellte also nur eine Teilerfüllung dar, welche nicht die Wirkung der Heilung des einheitlichen Verpflichtungsvertrags haben konnte. Der zwischen den Parteien abgeschlossene Vertrag auf Übertragung der sämtlichen Anteile blieb nichtig und zwar in vollem Umfang; daraus ergab sich, daß die Beklagten die ihnen abgetretenen Geschäftsanteile ohne Rechtsgrund erlangt hatten und nach den Vorschriften über die ungerechtfertigte Bereicherung wieder herausgeben mußten. Die Beklagten hatten gegenüber diesem Anspruch Zurückbehaltungsrechte wegen der von ihnen geleisteten Zahlungen geltend gemacht. Nach dieser Richtung war die Sache noch zu prüfen. (II, 18. Dezember 1925.) Amtl. Sammlg. S. 236—242.
Vgl. Bd. 65 S. 39; Bd. 88 S. 61; Bd. 104 S. 102, 296; Bd. 105 S. 332.

55. **Patentverlängerung. Zwischenbenutzungsrecht. Fremde Werkstatt. Offene Handelsgesellschaft. Vergütung. Entschädigung.** (PatG. §§ 5, 35; PatVerlG. § 7.) Ein Patent für Kugelsteuerung bei Gesteinbohrmaschinen erlosch am 16. März 1919; später wurde die Schutzdauer bis zum 15. März 1927 verlängert. Der Inhaber klagte gegen einen Fabrikanten, der gewerbsmäßig solche Kugelsteuerungen für eine andere Fabrik hergestellt hatte, auf Unterlassung, Rechnungslegung und Schadenersatz. Der Beklagte berief sich darauf, daß die Fabrik, für die er lieferte, ein Zwischenbenutzungsrecht besitze. Das Berufungsgericht gab der Klage statt; das Reichsgericht verwies die Sache zurück. Wenn die Fabrik, für die der

Beklagte arbeitete, ein Zwischenbenutzungsrecht erworben hatte, durfte auch der Beklagte sich hierauf berufen; denn wer berechtigt ist, eine Erfindung für die Bedürfnisse seines Betriebs zu benutzen, kann dieses Benutzungsrecht auch in einer fremden Werkstatt vornehmen. Daß dies für das Zwischenbenutzungsrecht (im Gegensatz zum Vorbenutzungsrecht) nicht ausdrücklich gesagt ist, macht nichts aus, da das Zwischenbenutzungsrecht dem Vorbenutzungsrecht nachgebildet ist und kein sachlicher Grund vorliegt, es auf die eigene Werkstatt des Berechtigten zu beschränken. Die Klage war aber aus einem anderen Grunde gerechtfertigt. Die Fabrik, für welche der Beklagte lieferte, stand im Eigentum einer offenen Handelsgesellschaft. Die Gesteinbohrmaschinen wurden in einer besonderen Betriebsabteilung hergestellt. Am 1. Juli 1920 schied einer der Gesellschafter aus und übernahm diese Abteilung; der Vertrieb der Maschinen blieb bei der Gesellschaft; über das Zwischenbenutzungsrecht wurden Vereinbarungen nicht getroffen. Das Reichsgericht entschied in Übereinstimmung mit dem Berufungsgericht, daß dieses Recht auf den ausgeschiedenen Gesellschafter übergegangen war; es war als eine Zubehör des Betriebs anzusehen. Die Ausübung des Zwischenbenutzungsrechts kam vor allem in der technischen Benutzung zum Ausdruck; die kaufmännische Verwertung der Erzeugnisse trat dagegen zurück. Die offene Handelsgesellschaft hatte demgemäß ein Zwischenbenutzungsrecht nicht mehr und konnte für sich Maschinen, bei denen das Patent des Klägers verwendet wurde, ohne dessen Zustimmung nicht herstellen lassen. Der Untersagungsanspruch war somit gerechtfertigt. Anders stand es mit dem Ersatzanspruch. Das Berufungsgericht hatte zwischen dem Anspruch auf Schadenersatz nach dem Patentgesetz und dem Anspruch auf angemessene Vergütung nach dem Patentverlängerungsgesetz nicht unterschieden. Schadenersatz ist nur bei vorsätzlicher oder grobfahrlässiger Patentverletzung zu leisten; er ist im allgemeinen (unbeschadet der Befugnis des Berechtigten, eine angemessene Lizenzgebühr als Maßstab zu wählen) nach den persönlichen Verhältnissen des Berechtigten und der von ihm erlittenen Einbuße zu bemessen. Im Fall einer bloß objektiven Verletzung des Patentrechts ist nach dem Patentverlängerungsgesetz nur eine angemessene Vergütung zu gewähren; diese richtet sich hauptsächlich nach der Bedeutung des Patents. Daß der Beklagte vorsätzlich oder grob fahrlässig gehandelt hatte, war nicht nachgewiesen; bei der Würdigung dieser Frage war auch zu berücksichtigen, daß die Rechtslage des Falles überaus zweifelhaft war. (I, 19. Dezember 1925.)

Amtl. Sammlg. S. 242—249.

Vgl. Bd. 92 S. 329; Bd. 95 S. 220; Bd. 106 S. 375.

56. **Prozeßgebühr.** (ZPO. §§ 234, 519; GKG. § 4.) Gegen ein landgerichtliches Urteil legte der Beklagte Berufung ein. Der Vorsitzende des Berufungsgerichts setzte für die Erbringung des Nachweises der Einzahlung der Prozeßgebühr eine Frist bis zum 6. Juli. Die Verfügung wurde dem Anwalt des Beklagten am 15. Juni zugestellt; zugleich wurde dem Beklagten selbst die Höhe der einzuzahlenden Gebühr mit 183 Mark bekanntgegeben. Sein Anwalt wies ihn darauf hin, daß die Gebühr zu hoch berechnet sei, und erklärte ihm, daß er eine Richtigstellung herbeiführen wolle. Er reichte am 20. Juni eine Eingabe ein, worin er um Verlängerung der Frist für die Begründung der Berufung und um Erteilung einer vollständigen Ausfertigung des Urteils ersuchte und zum Schluß auf die unrichtige Berechnung der Gebühr hinwies. Am 27. Juni wurde die Berichtigung der Gebühr vorgenommen und angeordnet, daß dem Beklagten eine neue Zahlungsaufforderung mit dem Beifügen zugestellt werde, die frühere Zahlungsaufforderung sei hierdurch aufgehoben. Diese Aufforderung wurde dem Beklagten erst am 8. Juli zugestellt. Am 6. Juli hatte er auf Veranlassung seines Anwalts die unrichtig berechnete Gebühr eingezahlt und den Nachweis am 7. Juli vorgelegt. Die Berufung wurde verworfen, ein Gesuch um Wiedereinsetzung in den vorigen Stand zurückgewiesen. Die sofortige Beschwerde hatte keinen Erfolg. Die Verfügung des Vorsitzenden erlangte mit der ordnungsmäßigen Zustellung an den Anwalt des Beklagten volle Wirksamkeit. Diese Wirksamkeit war nicht dadurch beeinträchtigt, daß eine zu hohe Gebühr eingefordert wurde, ebensowenig dadurch, daß der Anwalt des Beklagten gegen den Ansatz der Gebühr Erinnerung erhob. Durch die Einzahlung der Gebühr am 6. Juli wurde der

Verfügung nicht entsprochen, da bis zum Ablauf dieses Tages schon der Nachweis der Einzahlung hätte vorgelegt werden müssen. Das Gesuch um Wiedereinsetzung in den vorigen Stand konnte schon darum keinen Erfolg haben, weil es nicht binnen zwei Wochen nach Behebung des Hindernisses eingereicht war; diese Frist war vom 7. Juli an zu berechnen, weil mit der Vorlegung des Nachweises der Zahlung das Hindernis für die Führung dieses Nachweises behoben war. Der Beklagte war auch nicht durch einen unabwendbaren Zufall verhindert worden, die für den Nachweis der Zahlung gesetzte Frist einzuhalten. Ob die Frist als gewahrt anzusehen gewesen wäre, wenn er die richtig berechnete Gebühr einbezahlt und den Nachweis vorgelegt hätte, war nicht zu entscheiden. (II, 22. Dezember 1925.)

Amtl. Sammlg. S. 249—253.

57. **Regelung der Kohlenwirtschaft. Allgemeine Vertragsbedingungen.** (KohlWirtschG. vom 23. März 1919.) Eine Kohlenhandlung in Dresden erhielt von einer Kohlengroßhandlung in Berlin im Oktober 1923 Kohlen geliefert. Die Zahlungen, die sie dafür leistete, wurden ihr entsprechend dem Dollarkurs am Tag des Zahlungseingangs gutgeschrieben. Sie verlangte, daß bei der Umrechnung nicht der Tag des Eingangs der Zahlung, sondern der Tag der Rechnungstellung berücksichtigt werde, und verweigerte die Zahlung des Unterschieds. Die Klage gegen sie hatte Erfolg. Das ostelbische Braunkohlensyndikat hatte am 1. Oktober 1923 neue Kauf- und Lieferungsbedingungen aufgestellt, wonach bei Zahlung in Papiermark eine Umrechnung nach dem amtlichen Dollarkurs der Berliner Börse am Tage nach Abgang der Ware stattfinden sollte, wenn die Zahlung bis zum 4. Tag nach Abgang der Ware beim Verkäufer eintraf; bei Überschreitung der Frist sollte die Umrechnung nach dem Tag des Zahlungseingangs erfolgen. Diese Bestimmungen erklärte das Reichsgericht für verbindlich. Auf Grund des Sozialisierungsgesetzes ist die ganze deutsche Kohlenwirtschaft nach gemeinwirtschaftlichen Gesichtspunkten geregelt. Die Aufgaben der Gemeinwirtschaft sind wirtschaftlichen Selbstverwaltungskörpern übertragen, die vom Reich beaufsichtigt werden. Zunächst werden die Kohlenerzeuger eines bestimmten

Bezirks als Gesellschafter zu einem Syndikat zusammengefaßt; darüber steht die zum Reichskohlenverband vereinigte Gesamtheit aller Syndikate und über diesem Verband schließlich der Reichskohlenrat, dem die Leitung der gesamten Brennstoffwirtschaft obliegt. Der Reichskohlenrat beaufsichtigt die den Syndikaten obliegende Regelung des Absatzes der Brennstoffe und die allgemeinen Lieferungsbedingungen und Verkaufspreise der Syndikate; durch seine Genehmigung werden sie wirksam und begründen eine öffentlich-rechtliche Verbindlichkeit für die Syndikate, nur nach Maßgabe dieser Bedingungen zu veräußern. Die Bedingungen sind aber, mindestens soweit sie dem Schutze der Verbraucher dienen, sich also mit dem Preis und der Art seiner Zahlung beschäftigen, auch für die Abnehmer des Syndikats bei ihren Wiederverkäufen maßgebend. Gesetzeskraft oder die rechtliche Bedeutung von Handelsgebräuchen kommt ihnen allerdings nicht zu; wohl aber kann ihnen eine verbindliche Wirkung durch stillschweigende Vereinbarung verliehen werden. Eine solche behauptete die Klägerin. Die Beklagte bestritt sie und erklärte, beim Abschluß der Geschäfte die kurz zuvor veröffentlichten Lieferungsbedingungen gar nicht gekannt, auch gar nicht gewußt zu haben, von welchem Syndikat die Klägerin beziehen würde. Das Berufungsgericht hatte eine stillschweigende Unterwerfung aller am Kohlengroßhandel beteiligten Firmen unter die jeweils geltenden, auf Grund des Kohlenwirtschaftsgesetzes von dem zuständigen Syndikat mit Genehmigung des Reichskohlenrates aufgestellten und daher für den Kohlenhandel als Vertragsinhalt anzusehenden Lieferungsbedingungen angenommen; es hatte auf die öffentlich bekanntgemachten Bestimmungen der Eisenbahnen und Schiffahrtsunternehmungen, Banken und ähnliche Betriebe hingewiesen. Das Reichsgericht hob hervor, daß bei diesen Unternehmungen das Bestehen allgemeiner Bedingungen, die kraft stillschweigender Unterwerfung ohne weiteres für jeden maßgebend sind, der mit diesen Unternehmungen einen Vertrag schließt, allgemein bekannt sei, was für die Kohlensyndikate, jedenfalls im gleichen Umfang, nicht zutreffe; im Ergebnis trat es aber dem Berufungsgericht bei. Die gemeinwirtschaftliche Regelung der Kohlenwirtschaft läßt sich nur durchführen, wenn nicht nur die Syndikate ihren Mitgliedern und Abnehmern gegenüber, sondern alle am Kohlenhandel beteiligten Glieder an die im Interesse der Verbraucher erlassenen Bedingungen gebunden sind. Die Beklagte mußte mit dem Bestehen solcher Bedingungen rechnen. Solche Bedingungen waren auch schon vor dem 1. Oktober 1923 in Gültigkeit gewesen; von diesem Tage an hatte nur eine Verkürzung der Zahlungszeit stattgefunden. Diese war durch das gewaltsame Fortschreiten der Geldentwertung notwendig geworden und stellte durchaus keine ungewöhnliche Maßnahme dar, mit der der Beklagte nicht hätte rechnen können. Allerdings hätte die Beklagte, um die viertägige Zahlungsfrist einhalten zu können, voraussichtlich den Betrag telegraphisch überweisen müssen; im Vergleich zu dem großen geldlichen Vorteil hätte das aber nur eine geringe Geschäftsbelastung verursacht, die von jedem Geschäftsmann in Kauf genommen wurde. Daß die Bedingungen des ostelbischen Braunkohlensyndikats in Anwendung treten würden, mußte die Beklagte um so mehr annehmen, als dieses Syndikat durch hohe Vertragsstrafen gegenüber den anderen Syndikaten in dem Recht auf Belieferung aller in seinem Bezirk ansässigen Kohlenhandlungen geschützt war. Wenn auch von den Bedingungen des ostelbischen Syndikats beim Abschluß des Vertrags keine Rede war, hatten diese doch nach Treu und Glauben als Bestandteil des Vertrags der Parteien zu gelten und es war Sache der Beklagten, sich darnach zu erkundigen, wenn sie ihr nicht bekannt waren. (II, 22. Dezember 1925.) Amtl. Sammlg. S. 253—260.

58. **Dinglicher und schuldrechtlicher Berichtigungsanspruch. Abtretung.** (BGB. §§ 812, 894.) Ein Grundbesitz wurde in Teile zerlegt und versteigert. Die Teile 1—5 wurden K., die Teile 6—15 L. zugeschlagen; dementsprechend wurden die Erwerber auch als Eigentümer im Grundbuch eingetragen. Nachträglich behauptete L., das Versteigerungsprotokoll sei unrichtig; auch die Teile 1 und 2 seien ihm zugeschlagen worden; er habe sich auch mit K. geeinigt gehabt, daß dieser auf diese Teile nicht bieten solle. Mit seiner Klage gegen K. beantragte er, diesen zu verurteilen,

die Teile 1 und 2 an ihn aufzulassen und in ihre Umschreibung auf seinen Namen zu willigen. Das Landgericht machte die Entscheidung von einem Eid des Beklagten abhängig, daß er sich nicht mit dem Kläger über die Einsteigerung der strittigen Teile geeinigt, sondern bei Abgabe seines Gebots den Willen gehabt habe, diese Teile zu erwerben. Die Berufung wurde zurückgewiesen. Die Revision des Klägers führte zur Zurückverweisung der Sache. Das Berufungsgericht hatte die Klage für unbegründet angesehen, es aber bei der Entscheidung des Landgerichts belassen, weil nur der Kläger Berufung eingelegt hatte. Es war davon ausgegangen, daß bei der Richtigkeit der Darstellung des Klägers der Beklagte mangels eines entsprechenden Auflassungswillens der Beteiligten nicht Eigentümer der streitigen Grundstücke geworden sei, demgemäß eine wirksame Auflassung nicht vornehmen könne, daß aber dem Kläger auch ein Anspruch auf Berichtigung des Grundbuchs gegenüber dem Beklagten nicht zustehe, weil ein solcher weder durch die Vorverhandlungen, die keine rechtliche Bedeutung gehabt hätten, noch durch den Zuschlag, der rechtliche Beziehungen nur zwischen dem Versteigerer und dem Ersteher geschaffen habe, begründet worden sei. Das Reichsgericht erklärte diese Ausführungen für richtig, soweit sie die dingliche Grundlage des Anspruchs behandelten. Ging man von der Darstellung des Klägers aus, so war der Beklagte trotz seiner Eintragung im Grundbuch nicht Eigentümer des streitigen Grundstücks geworden, weil er Eigentum daran nicht erwerben wollte; Eigentümer war vielmehr der Versteigerer geblieben. Diesem stand gegenüber dem Beklagten ein Anspruch auf Berichtigung des Grundbuchs zu. Wenn der Versteigerer dem Kläger gegenüber die Auflassung der streitigen Grundstücke erklärt hatte, war dieser wohl ermächtigt worden, den Berichtigungsanspruch geltend zu machen, aber nur in der Weise, daß er die Zustimmung des Beklagten zur Umschreibung der Grundstücke auf den Namen des Versteigerers verlangte, wie ja auch dieser nur seine eigene Eintragung als Eigentümer, nicht aber jene des Klägers hätte fordern können. In Frage konnte also nur kommen, ob ein schuldrechtlicher Berichtigungsanspruch zwischen den Parteien bestand. Wenn eine Einigung zustande gekommen war, daß der Beklagte auf die streitigen Grundstücke nicht bieten solle, konnte daraus die Verpflichtung entstehen, im Fall einer unrichtigen Sachbehandlung den Kläger bei der Herbeiführung des der Einigung entsprechenden Rechtszustands zu unterstützen; durch die Abgabe der zur Vornahme einer Grundbuchberichtigung erforderlichen Erklärung wurde alsdann nur die Rechtslage geschaffen, die dem Willen aller Beteiligten, insbesondere auch dem des Versteigerers, der die Auflassung ja schon erklärt hatte, entsprach. War eine Einigung nicht zustande gekommen, so konnte ein Bereicherungsanspruch als begründet erscheinen; die Grundstücke, die dem Kläger aufgelassen waren und auf ihn umgeschrieben hätten werden sollen, waren statt dessen für den Beklagten eingetragen worden und dieser war durch die Erlangung des Bucheigentums auf Kosten des Klägers ungerechtfertigt bereichert, also schuldrechtlich verpflichtet, dem Kläger das Bucheigentum zu verschaffen, indem er die zur Eintragung des Klägers erforderliche Einwilligung erklärte. (V, 2. Januar 1926.)

Amtl. Sammlg. S. 260—269.

Vgl. Bd. 46 S. 229; Bd. 51 S. 422; Bd. 53 S. 410; Bd. 59 S. 294; Bd. 62 S. 322; Bd. 64 S. 165; Bd. 66 S. 21; Bd. 99 S. 65.

59. **Fischereirecht. Rechtsweg.** (GVG. § 13; PrWassG. § 192; PrFischG. § 23.) Mit einem Rittergut in Westfalen, das zugleich einen selbständigen Gutsbezirk bildete, war ein Fischereirecht verbunden und im Wasserbuch eingetragen. Im Jahre 1920 wurde der Gutsbezirk mit der Gemeinde vereinigt; auf deren Antrag wurde das Wasserbuch dahin berichtigt, daß das Fischereirecht der Gemeinde zustehe. Der Besitzer des Gutes klagte auf Feststellung, daß er Inhaber des Rechtes sei, und auf Einwilligung der Gemeinde in eine entsprechende Berichtigung des Wasserbuchs. Das Berufungsgericht gab der Klage statt. Die Revision der Gemeinde blieb ohne Erfolg. Der Rechtsweg war für die ganze Klage zulässig. Es handelte sich um einen Streit zweier Personen, die behaupteten, Inhaber eines und desselben streitigen Privatrechts zu sein; dieser Streit gehörte als bürgerliche Rechtsstreitigkeit vor die ordentlichen

Gerichte, wenn nicht ein Reichsgesetz oder ein Landesgesetz eine andere Bestimmung enthielt. Das traf nicht zu. Das preußische Wassergesetz sieht zwar eine Tätigkeit der ordentlichen Gerichte auf seinem Gebiete nicht vor, es schließt sie aber auch nicht aus. Das Verfahren der Wasserbuchbehörde ist allerdings stärker zu einem Verfahren von Amts wegen ausgebildet als jenes des Grundbuchamts; aber auch im Fall einer Verurteilung der Beklagten, in die Umschreibung des Fischereirechts auf den Kläger einzuwilligen, war der Bezirksausschuß nicht gezwungen, die Umschreibung vorzunehmen, sondern konnte noch prüfen, ob die bestehende Eintragung nicht der wirklichen Rechtslage entsprach. Nur als Beweismittel mußten die Feststellungen, daß der Kläger der Berechtigte sei und daß die beklagte Gemeinde zur Einwilligung in die Umschreibung verpflichtet sei, hiebei ins Gewicht fallen. Das Berufungsgericht hatte festgestellt, daß das Fischereirecht immer mit dem Eigentum am Gute verbunden gewesen sei. Von dem Gut waren zwar erhebliche Teile wegverkauft worden; in solchen Fällen verbleibt aber das Fischereirecht immer bei der Hofstelle, da es regelmäßig zu deren Nutzen bestimmt ist. Das neue preußische Fischereigesetz bestimmt das ausdrücklich. (VI, 5. Januar 1926.)

Amtl. Sammlg. S. 269—272.

60. Gesellschaft mit beschränkter Haftung. Gesellschaftsrechtliche Verbindlichkeiten. Form. Teilweise Nichtigkeit. Rechtskraft. (BGB. § 139; GmbHG. §§ 3, 47; ZPO. § 894.) Zwischen den Gesellschaftern einer GmbH., die eine Lederfabrik betrieben, wurde schriftlich vereinbart, daß sie der Gesellschaft Darlehen von bestimmter Höhe zu gewähren und für die Dauer ihrer Mitgliedschaft zu belassen hätten, daß sie ferner der Veräußerung von Geschäftsanteilen nur zustimmen dürften, wenn der Erwerber die gleiche Verpflichtung übernähme. Einer der Gesellschafter sicherte zu, der Gesellschaft einen Kredit zum Ankauf von Häuten zu eröffnen, wogegen die Gesellschaft verpflichtet sein sollte, alle ihre Einkäufe an Häuten und Gerbstoffen nur bei ihm zu machen und Wechsel nur zu seinen Gunsten zu akzeptieren. In einer Gesellschafterversammlung wurde gegen die Stimme dieses Gesellschafters beschlossen, bei ihm keinen Kredit mehr in Anspruch zu nehmen und die Vereinbarung auch hinsichtlich der geschäftlichen Beziehungen zu ihm außer Kraft zu setzen. Er klagte gegen die Gesellschaft auf Feststellung, daß die Vereinbarung fortbestehe. Die Klage wurde abgewiesen, weil durch eine einfache Vereinbarung derartige gesellschaftsrechtliche Verpflichtungen nicht hätten begründet werden können. Das Urteil wurde rechtskräftig. Er klagte nun gegen die übrigen Gesellschafter auf Feststellung, daß die Vereinbarung rechtswirksam sei und die Beklagten verpflichte, in den Gesellschafterversammlungen ihr entsprechend zu stimmen, außerdem auf Verurteilung der Beklagten, in einer unverzüglich einzuberufenden Gesellschafterversammlung ihre Stimmen dahin abzugeben, daß die Gesellschaft verpflichtet sei, ihren Bedarf an Häuten und Gerbstoffen bei ihm einzukaufen, ihn über ihre ganze Geschäftsführung zu unterrichten und Wechsel nur zu seinen Gunsten zu akzeptieren. In zwei Instanzen wurde die Klage abgewiesen. Die Revision des Klägers hatte teilweise Erfolg. Bestimmungen, durch welche den Gesellschaftern einer GmbH. außer der Leistung von Kapitalseinlagen noch andere Verpflichtungen gegenüber der Gesellschaft auferlegt werden sollen, bedürfen der Aufnahme in den gerichtlich oder notariell zu beurkundenden Gesellschaftsvertrag. Diese Vorschrift gilt aber nur für gesellschaftsrechtliche Verpflichtungen, also Verpflichtungen, die den Gesellschaftern als solchen obliegen, nicht für rein schuldrechtliche Verpflichtungen, die mit dem Gesellschaftsvertrag nicht in Verbindung stehen, oder für Verpflichtungen der Gesellschafter untereinander. Das Berufungsgericht hatte die Verpflichtung zur Gewährung von Darlehen als gesellschaftsrechtliche Verbindlichkeit angesehen, weil sie an den Besitz von Geschäftsanteilen geknüpft war und mit der Veräußerung von Geschäftsanteilen auf den Erwerber übergehen sollte; es hatte daraus, daß dieser Teil der Vereinbarung wegen Mangels der vorgeschriebenen gerichtlichen oder notariellen Form der Gültigkeit entbehrte, die Nichtigkeit der ganzen Vereinbarung hergeleitet, weil diese ohne die Abrede über die Darlehensgewährung, die der Gesellschaft den Grundstock der unumgänglich notwendigen Mittel verschaffen sollte, nicht geschlossen worden wäre. Diese Auffassung war der Nachprüfung durch das Revisionsgericht zugänglich, da es sich nicht um eine tatsächliche Feststellung des Parteiwillens, sondern um rechtliche Folgerungen handelte, die aus dem Parteiwillen gezogen worden waren. Das Reichsgericht trat ihr nicht bei. Der von den Parteien gewollte Übergang der Darlehenspflicht auf den Erwerber eines Geschäftsanteils konnte nicht nur durch Auferlegung einer gesellschaftsrechtlichen Verpflichtung erreicht werden; auch außerhalb des Gesellschaftsvertrags konnten die Parteien in der Weise zum Ziel gelangen, daß sie, wie das auch in sonstigen Vertragsverhältnissen geschah, Verpflichtungen eingingen, die das Eintreten des Rechtsnachfolgers sicherten. Diesen Weg hatten sie hier eingeschlagen. Es wäre natürlicher gewesen, wenn die Verpflichtung nicht außerhalb der Satzung, sondern als eine gesellschaftsrechtliche begründet worden wäre; unstatthaft war es aber nicht, sie außerhalb der Satzung festzulegen, selbst wenn das aus Gründen der Steuerersparnis geschah. Dieser Beurteilung stand auch die Rechtskraft des früheren Urteils nicht entgegen; diese erstreckte sich nur auf die Abweisung der Klage, nicht aber auf deren Begründung. Die Vereinbarung war demgemäß nicht von vorneherein ungültig; in Frage kam nur, ob sie durch die Kündigung ihre Wirksamkeit verloren hatte. Zu dem zweiten Antrag der Klage bemerkte das Reichsgericht, daß er auch dann nicht haltbar sei, wenn die Vereinbarung als gültig angesehen würde. Unentschieden blieb, ob die Abstimmung als eine Willenserklärung anzusehen sei; jedenfalls geht es nicht an, durch äußeren Zwang in die Willensbildung der Gesellschafterversammlung einzugreifen. Selbst wenn einzelne Gesellschafter verurteilt würden, in bestimmtem Sinne zu stimmen und die Abstimmung mit der Rechtskraft des Urteils als vollzogen angesehen würde, stünde nichts im Weg, daß die Gesellschafter diesen fiktiven Beschluß durch einen anderen ersetzten. Wenn durch das Verhalten der Beklagten die Vertragsrechte des Klägers verletzt wurden, blieb ihm nur eine Klage auf Schadenersatz übrig. (II, 20. November 1925.) Amtl. Sammlg. S. 273—280. Vgl. Bd. 79 S. 332; Bd. 82 S. 299; Bd. 83 S. 216.

61. Offene Handelsgesellschaft. Gemeinschaftliche Firma. Vorvertrag. Geschäftsbeginn. Rücktritt. (HGB. §§ 105, 108, 123, 128, 133, 140; BGB. §§ 320, 325, 326.) Zwischen zwei Kaufleuten wurde die Gründung eines gemeinschaftlich zu führenden Bankgeschäfts vereinbart. Der eine von ihnen eröffnete das Geschäft für sich und lehnte die Aufnahme des anderen als Gesellschafter ab. Dieser klagte gegen ihn auf Mitwirkung zur Umwandlung des Geschäfts in eine offene Handelsgesellschaft durch seine Anmeldung als Gesellschafter zum Handelsregister. Das Berufungsgericht gab der Klage statt; das Reichsgericht wies sie ab. Die Vereinbarung war nicht als Vorvertrag, sondern als Abschluß des Gesellschaftsvertrags anzusehen; der Eintragung in das Handelsregister bedurfte es für die Entstehung der Gesellschaft nicht, ebensowenig der Eröffnung des Geschäftsbetriebs unter einer gemeinschaftlichen Firma. Einer Klage auf Feststellung des Bestehens einer offenen Handelsgesellschaft hätte also stattgegeben werden müssen. Das vom Kläger gestellte Verlangen war aber dann ungerechtfertigt, wenn Gründe vorlagen, die den Beklagten berechtigten, die Auflösung der Gesellschaft durch gerichtliche Entscheidung herbeizuführen. Eine solche Entscheidung kann allerdings nur im Wege der Klage oder Widerklage, nicht durch eine Einwendung gegen eine Klage erwirkt werden; der Beklagte verlangte aber mit seiner Einwendung nicht, daß die Gesellschaft aufgelöst werde, sondern nur, daß er nicht zu einer Handlung genötigt werde, die er wieder rückgängig machen konnte. In gleicher Weise kann auch während des Bestehens einer Ehe ein auf Herstellung des ehelichen Lebens verklagter Ehegatte die Abweisung der Klage verlangen, wenn ihm Gründe zur Seite stehen, die ihn berechtigen, eine Scheidungsklage zu erheben. Für die Gesellschaft bürgerlichen Rechtes ist anerkannt, daß, solange sie nach außen noch nicht hervorgetreten ist, jeder Vertragsteil die ihm obliegende Leistung bis zur Erfüllung der Gegenleistung verweigern kann, soweit er nicht zur Vorleistung verpflichtet ist. Das muß auch für die offene Handelsgesellschaft gelten. Das Berufungsgericht hätte also prüfen sollen, ob die offene Handelsgesellschaft als solche ihre Tätigkeit schon begonnen hatte und, wenn das nicht zutraf, ob die Gründe, auf die der Beklagte seinen Anspruch auf Auflösung der Gesellschaft stützte, geeignet waren, seinen Rücktritt vom Gesellschaftsvertrag zu rechtfertigen. (II, 5. Januar 1926.) Amtl. Sammlg. S. 280—284. Vgl. Bd. 78 S. 303; Bd. 81 S. 303; Bd. 89 S. 334, 398.

62. **Eisenbahnfrachtrecht. Höhere Gewalt. Schadenersatz. Mitverschulden.** (HGB. §§ 453, 456, 458; EVO. § 3; BGB. § 254.) Während der im März 1920 ausgebrochenen Unruhen wurde in Duisburg ein Posten Baumwollwaren zur Versendung nach Crefeld aufgegeben; der Absender wollte sie vor dem Zugriff der Roten Armee in Sicherheit bringen. Der Wagen wurde geplündert. Die Klage des Absenders gegen die Reichsbahn wurde vom Berufungsgericht als begründet anerkannt. Das Reichsgericht verwies die Sache zurück. Auf Grund der neuen Verhandlung hielt das Berufungsgericht sein früheres Urteil aufrecht. Das Reichsgericht erkannte die Klage nur zur Hälfte als begründet an. In dem ersten Urteil hatte das Berufungsgericht ausgeführt, die Bahn hafte für den Verlust der Waren, wenn sie nicht nachweise, daß er auf höhere Gewalt oder auf ein Verschulden des Klägers zurückzuführen sei; weder die eine noch die andere Ausnahme war für gegeben erachtet worden. In dem neuen Urteil war insbesondere ausgeführt, daß die Bahn den Verlust hätte vermeiden können, wenn sie den Wagen mit einem Eilgüterzug befördert hätte, daß also höhere Gewalt nicht gegeben gewesen sei. Die Bahn wendete hiegegen in ihrer Revision ein, daß sie vertraglich nicht verpflichtet gewesen sei, die Ware mit diesem Zug befördern zu lassen. Hierzu erklärte das Reichsgericht, daß höhere Gewalt, welche die Haftung der Bahn beseitigt, nicht schon dann gegeben ist, wenn sie durch solche Vorkehrungen, zu deren Ergreifen in gewöhnlichen Zeiten der Vertrag verpflichtet, nicht abgewendet werden konnte, vielmehr erst dann, wenn auch außergewöhnliche Maßnahmen, soferne diese der Bahn nur noch zugemutet werden konnten, nichts genützt hätten. Das Berufungsgericht hatte gegen die Annahme höherer Gewalt auch ausgeführt, daß es der Bahn möglich gewesen wäre, den Absender davon zu verständigen, daß die Ware

wegen des ausgebrochenen Eisenbahnerstreiks nicht abgegangen sei. Das Reichsgericht erklärte, daß ein Rechtsirrtum in diesen Ausführungen nicht ersichtlich sei. Dagegen erachtete das Reichsgericht ein Mitverschulden des Klägers für gegeben. Die Vorschriften über das Mitverschulden sind auch dann anzuwenden, wenn eine Ersatzpflicht vom Gesetz ohne Rücksicht auf ein Verschulden angeordnet ist; ein Mitverschulden im strengen Sinne braucht nicht vorzuliegen, zumal dann nicht, wenn es sich um die Besorgung seiner eigenen Angelegenheiten handelt. Bei der Anwendung dieser Vorschriften auf das Eisenbahnfrachtrecht ist aber zu beachten, daß die Haftung der Bahn ganz fortfällt, wenn der Schaden durch ein Verschulden des Verfügungsberechtigten verursacht worden ist. Von einer Teilung der Haftung kann also nur dann die Rede sein, wenn die Verursachung des Schadens der Bahn zum Verschulden gereicht, auf der Seite des Beschädigten aber ein Mitverschulden anzunehmen ist. Die Umstände, die gegen das Vorliegen höherer Gewalt sprechen, reichen für die Annahme eines Verschuldens der Bahn ohne weiteres nicht aus, weil dort in Betracht kommt, was der Bahn zugemutet werden kann, hier dagegen, wozu sie nach Treu und Glauben verpflichtet ist. Aber auch von diesem Standpunkt ließ sich ein Verschulden der Bahn nicht bestreiten. Sie haftet für ein Verschulden ihrer Leute wie für eigenes Verschulden. Unter den damals gegebenen Verhältnissen war zu verlangen, daß die Bahn für die Möglichkeit rascher Abfertigung wertvoller Güter Sorge trug und hiebei auch auf die zutage liegenden Interessen des Absenders Rücksicht nahm. Wenn die Beförderung nur zu höheren Frachtsätzen möglich war, mußte sie den Absender hierauf aufmerksam machen oder, wenn hiefür die Zeit fehlte, die erhöhte Fracht nachträglich einziehen; jedenfalls hätte sie, als die Absendung unterblieben war, den Kläger hievon in Kenntnis setzen müssen. Aber auch dem Kläger fiel ein Mitverschulden nach zwei Richtungen zur Last. Indem er die Güter versandte, setzte er sie einer neuen Gefahr aus; er hatte die Ware auch nicht, wie es der Sachlage entsprochen hätte, als beschleunigtes Eilgut aufgegeben. Gegen die Annahme eines Mitverschuldens sprach auch nicht, daß der Lademeister und auf telephonische Anfrage ein weiterer Beamter erklärt hatten, die Ware werde mit dem Eilgüterzug abgefertigt; beide Beamte hatten hierauf keinen Einfluß, hatten auch offenbar angenommen, daß die entsprechende Fracht bezahlt sei. Die Größe des Verschuldens und der Grund der Verursachung des Schadens waren auf beiden Seiten für gleich zu erachten. (I, 6. Januar 1926.) Amtl. Sammlg. S. 284—290. Vgl. Bd. 54 S. 13; Bd. 59 S. 222; Bd. 67 S. 120; Bd. 108 S. 276.

63. **Öffentliche Krankenhäuser. Haftung der Stadtgemeinde. Arzt. Heilgehilfe. Schmerzensgeld. Unerlaubte Handlung.** (BGB. §§ 31, 89, 253, 278, 823, 831, 844, 847.) In einem städtischen Krankenhaus wurde eine Frau, die sich dort an Krätze behandeln ließ, nach Weisung des Arztes mit einer Salbe eingerieben, die aus einer fremden, der Stadt nicht gehörigen Apotheke bezogen worden war. Die Salbe enthielt ein starkes Gift; infolgedessen erkrankte die Frau erheblich. Sie klagte gegen die Stadt auf Ersatz der Kurkosten, Erwerbsverlust, Schmerzensgeld und Feststellung der Verpflichtung zum Ersatz noch weiter entstehenden Schadens. Das Landgericht erkannte den Anspruch dem Grunde nach für berechtigt an; das Berufungsgericht wies die Klage ab; das Reichsgericht verwies die Sache zurück. Die Klägerin war mittellos und hilfsbedürftig; sie war nach den Vorschriften über die Armenfürsorge zur Behandlung angenommen worden. Durch diese Annahme entstand zwischen der Stadt und ihr ein öffentlichrechtliches Verhältnis, wonach die Stadt ihr gegenüber zur sachgemäßen Behandlung verpflichtet war. Hiebei haftete sie für jedes Verschulden ihres Erfüllungsgehilfen. Die Salbe war an dem Tag, an dem sie bei ihr angewendet wurde, zum erstenmal benutzt worden. Sie sah der richtigen Salbe so gleich, daß aus der Verwechslung den Ärzten und Heilgehilfen kein Vorwurf gemacht werden konnte. Die Anwendung der Salbe hatte aber bei anderen Kranken heftige Schmerzen, zum Teil auch Erbrechen hervorgerufen; diese Umstände hätten die Heilgehilfen zu einer sofortigen Meldung des Vorfalls beim leitenden Arzt und diesen zu einer unverzüglichen Untersuchung der Salbe veranlassen müs-

sen. Eine solche hätte zur Entdeckung des Irrtums geführt und Gegenmaßnahmen bei allen mit der Salbe behandelten Personen, auch bei der Klägerin, deren Name und Wohnung aus den Krankenlisten zu ersehen war, zur Folge haben müssen. Es war zu prüfen, ob hiedurch die Gesundheitsstörungen vermieden oder verringert worden wären. Ein Anspruch auf Schmerzensgeld stand der Klägerin nur dann zu, wenn der Stadt der Vorwurf einer unerlaubten Handlung gemacht werden konnte. Hiefür war entscheidend, ob die Stadt bei der Auswahl der Personen, denen die Anwendung der Salbe übertragen war, sowie bei der Beschaffung der Salbe die im Verkehr erforderliche Sorgfalt beobachtet und bei der Leitung und Überwachung der Verrichtung die ihr obliegenden Pflichten erfüllt hatte. Einer Leitung und Überwachung der einzelnen Verrichtungen bedurfte es nicht, da es sich hier um ganz einfache Verrichtungen handelte, die geschulten Krankenwärtern ohne weiteres überlassen werden konnten. Daneben bestand aber eine allgemeine Unterweisungs- und Überwachungspflicht der Gemeinde, für deren Erfüllung sie einzustehen hatte. Wie weit diese Pflicht ging, war nach der Lage des Falles, insbesondere darnach zu beurteilen, ob mit der Vornahme der Verrichtung und ihrer Beaufsichtigung sachkundige und erprobte Personen betraut worden waren. Aus der Fürsorgepflicht der Stadt, der die unbemittelten Kranken ihre höchsten Güter, Gesundheit und Leben anvertrauen, war zu folgern, daß sie durch ihre verfassungsmäßigen Vertreter Vorschriften erlassen mußte, welche einerseits die Verpflichtung der Heilgehilfen, jede auffällige, von den regelmäßigen Beobachtungen abweichende Wirkung eines Heilmittels, jede bei seiner Anwendung zutage tretende außergewöhnliche Erscheinung den Ärzten zu melden, anderseits die Verpflichtung der Ärzte, bei solchen Meldungen unverzüglich die geeigneten Vorsichtsmaßregeln zu treffen, festlegten; von der Befolgung dieser Vorschriften mußte sie sich von Zeit zu Zeit in sachgemäßer Weise überzeugen. Auch nach dieser Richtung war der Sachverhalt noch zu prüfen. — Infolge der Behandlung mit der gleichen Salbe war ein junger Mann gestorben. Seine Mutter klagte auf Ersatz der Bestattungskosten und auf Gewährung des

Unterhalts, den er ihr bei längerem Leben zu gewähren verpflichtet gewesen wäre. In diesem Falle hatte das Berufungsgericht die Ansprüche als berechtigt anerkannt. Es hatte angenommen, daß das Rechtsverhältnis zwischen dem jungen Mann und der Stadt als bürgerlich-rechtlicher Vertrag anzusehen sei; eine nähere Begründung hiefür war nicht gegeben. Auch in diesem Fall war die Aufnahme als Fürsorgemaßregel unentgeltlich erfolgt; der Umstand, daß dem jungen Mann auch Obdach und Verpflegung im Krankenhaus gewährt wurde, reichte nicht hin, um einen bürgerlich-rechtlichen Vertrag zu begründen, vielmehr wäre ein solcher nur dann anzunehmen gewesen, wenn die Aufnahme gegen Entgelt erfolgt wäre. Die Einreibung war an dem jungen Mann erst zwei Tage nach der Einreibung der Frau vorgenommen worden; da zu dieser Zeit schon schädliche Wirkungen der Salbe hervorgetreten waren, konnte an einem für seinen Tod ursächlichen Verschulden der Wärter oder Ärzte nicht gezweifelt werden. Die Folgen dieses Verschuldens waren nach den Vorschriften des bürgerlichen Gesetzbuchs zu würdigen, dessen Rechtsgedanken hier auch für das öffentliche Recht gelten; andernfalls würde dieses eine Lücke aufweisen, die jeder inneren Berechtigung entbehrte und zu unerträglichen Ergebnissen führte. Auch hier wurde die Sache zurückverwiesen, da die Frage, ob das Rechtsverhältnis dem öffentlichen oder dem privaten Recht angehörte, nicht hinlänglich geklärt war und auch die Frage des Verschuldens der Stadt bei der Ausübung ihrer Überwachungspflicht einer genauen Prüfung bedurfte (II, 8. Januar 1926.) Amtl. Sammlg. S. 290—297. Vgl. Bd. 53 S. 53, 276; Bd. 65 S. 17; Bd. 82 S. 206; Bd. 95 S. 81; Bd. 96 S. 81; Bd. 98 S. 343; Bd. 102 S. 6.

64. **Konkurs. Anmeldung. Feststellung. Vollstreckung. Geldentwertung. Fremde Währung.** (KO. §§ 144, 145, 164.) Aus einem Wechsel wurde auf Zahlung von 115000 dänischen Kronen geklagt. Das Urteil entsprach der Klage; es erlangte die Rechtskraft. Der Schuldner geriet in Konkurs. Der Gläubiger meldete die Forderung an. Auf Verlangen des Konkursverwalters rechnete er sie in Papiermark nach dem Tageskurs um. In dieser

Höhe wurde sie in die Tabelle eingetragen. Die Forderungen wurden in voller Höhe befriedigt; der Gläubiger der Wechselforderung zahlte aber den Betrag wieder heraus und nahm die Anmeldung zurück. Er erteilte dann dem Gerichtsvollzieher Auftrag zur Vollstreckung des rechtskräftigen Urteils. Der Schuldner erhob Klage auf Unzulässigkeit der Vollstreckung, weil durch die Feststellung der Forderung im Konkurs der frühere Vollstreckungstitel unwirksam geworden sei. In zwei Instanzen wurde die Klage abgewiesen; das Reichsgericht gab ihr statt. Aus dem Verhalten des Beklagten im Konkurs ergab sich, daß er mit der Behandlung seiner Forderung als einer umgewandelten Markforderung einverstanden war; die Eintragung in die Tabelle galt darum als Feststellung der Forderung und erlangte die Wirkung eines rechtskräftigen Urteils. Durch eine nachträgliche Zurücknahme der Anmeldung konnte das nicht mehr in Frage gestellt werden. Die im Konkursverfahren eingetretenen Veränderungen einer Forderung bleiben sowohl dem Gläubiger wie dem Schuldner gegenüber dauernd maßgebend und zwar auch über den Konkurs hinaus; ein Zurückgreifen auf die ursprüngliche Forderung und insbesondere auf einen über sie erwirkten Vollstreckungstitel ist regelmäßig ausgeschlossen. Das Berufungsgericht hatte von dieser Regel mit Rücksicht auf die Geldentwertung eine Ausnahme gemacht und der Papiermarkfeststellung im Konkurs eine nur beschränkte Wirkung zugestanden, die ein Zurückgreifen auf den ursprünglichen Forderungsinhalt und den durch die Feststellung nicht gegenstandslos gewordenen Schuldtitel nicht ausschließe. Das Reichsgericht erklärte diese Auffassung für unhaltbar. Ein Konkursgläubiger kann seine angemeldete Forderung im Falle ihrer Feststellung später nur in der Gestalt geltend machen, die sie durch die Beteiligung am Verfahren gewonnen hat; insbesondere bleiben angemeldete Valutaforderungen nur noch zu ihrem festgestellten Schätzungswert in Reichswährung maßgebend. Weder der Gläubiger noch der Schuldner können wieder auf die Forderung in ihrer ursprünglichen Form zurückgreifen. Dies gilt auch dann, wenn der Gläubiger schon vor der Konkurseröffnung für die Forderung ein rechtskräftiges Urteil erlangt hat; durch die konkursmäßige Feststellung wird ein früherer Vollstreckungstitel aufgezehrt und kann nicht mehr als Grundlage für eine Zwangsvollstreckung dienen. Aus verfahrensrechtlichen Gründen war also dem Kläger das Recht zu versagen, den früheren Vollstreckungstitel wieder zur Beitreibung seiner Wechselforderung zu benutzen. Zu einem Eingehen auf die Frage, ob dem Beklagten ein Anspruch auf Aufwertung zustand, lag kein Anlaß vor. (II, 8. Januar 1926.) Amtl. Sammlg. S. 297—301.

65. **Aufwertung. Erledigung eines Rechtstreits. Kosten.** (AufwG. §§ 15, 69, 82; 3. StNVO. § 11.) Am 17. Sept. 1923 wurde eine Hypothekforderung heimbezahlt. Die Gläubigerin, eine Bank, nahm die Zahlung ohne Vorbehalt an. Der Klage auf Bewilligung der Löschung wurde vom Berufungsgericht stattgegeben; das Reichsgericht erklärte den Rechtsstreit für erledigt. Der Kläger hatte erklärt, daß er bei der Aufwertungsstelle einen Antrag auf Festsetzung der Aufwertung gestellt habe; damit hatte er anerkannt, daß er auf seinem Löschungsantrag nicht mehr beharre, vielmehr den Anspruch der beklagten Bank auf Aufwertung anerkenne. Damit war der Rechtsstreit infolge der Vorschriften des Aufwertungsgesetzes erledigt. Die Kosten waren nach dem Aufwertungsgesetz zu verteilen; die beklagte Bank konnte eine andere Verteilung auch durch den Nachweis nicht erzielen, daß der Anspruch der Klägerin nach der früheren Gesetzgebung unbegründet war. (V, 10. Februar 1926.) Amtl. Sammlg. S. 302—305.

Vgl. Bd. 96 S. 186.

66. **Patentberühmung. Unlauterer Wettbewerb. Ankündigungsbild.** (PatG. § 40; UWG. § 3.) Für ein rostförmiges Sieb für Setzmaschinen (Maschinen für die Aufbereitung von Kohlen und Erzen) war ein Patent erteilt. Der Inhaber einer auf dieses Patent bezüglichen Lizenz bot Siebe dieser Art unter der Überschrift „Patentprofildraht" an. Er klagte gegen den anderen Fabrikanten, der seine Siebe unter der Bezeichnung „Profildrahtsiebe" anbot, auf Unterlassung und Schadensersatz; dieser erhob Widerklage mit dem gleichen Antrag. Das Berufungsgericht gab der Widerklage statt. Die Revision des Klägers hatte Erfolg.

Das Patent war durch räumliche Gestaltung der Erfindung, nämlich durch die Querschnittform der Rostsiebe, gekennzeichnet, die aus Köpfen mit parallelen Seitenflächen und nach unten verjüngt verlaufenden Rippen bestanden. Diese Rostsiebe waren, weil ihr Querschnitt von den regelmäßigen Formen abwich, als Profildraht im verkehrsüblichen Sinne anzusehen. Demnach handelte der Kläger nicht gesetzwidrig, wenn er das Sieb als Patentprofildraht anpries. Daß es sich nicht um Siebe irgendwelcher Art, sondern nur um solche für Setzmaschinen handelte, war durch beigefügte Abbildungen erkenntlich gemacht. Daß diese Abbildungen nicht bis in alle Einzelheiten genau und richtig waren, machte nichts aus. Solche Ankündigungsbilder sind im allgemeinen nicht dahin zu verstehen, daß aus ihnen die durch Patent geschützte Erfindung mit Gewähr für die Richtigkeit der entsprechenden Maßverhältnisse hervorgeht; gewöhnlich wird nur bezweckt und erwartet, daß das Bild ungefähr eine räumliche Vorstellung von dem angekündigten Gegenstand ermöglicht. Demgemäß war in den Ankündigungen weder eine unrichtige Anpreisung noch eine unzutreffende Patentberühmung zu erblicken. (I. 9. Januar 1926.) Amtl. ammlg. S 305—310.

67. **Seeversicherung. Kostbarkeit. Deklarierungspflicht.** (HGB. § 821; VVG. § 131.) Eine Sendung Pelze im Werte von 360 Pfd. Sterling wurde für die Reise von London nach Berlin versichert. Sie ging während der Seefahrt verloren. Der Klage auf Zahlung des Versicherungsbetrags wurde entgegengehalten, daß die Sendung als hochwertiges Gut hätte deklariert werden müssen. In allen Instanzen wurde die Klage abgewiesen. Da es sich im wesentlichen um eine Seeversicherung handelte und der Schaden auf der Seereise entstanden war, kamen die Vorschriften des deutschen Seeversicherungsrechts zur Anwendung. Hiernach fällt bei der Versicherung von Gütern dem Versicherer der Schaden nicht zur Last, der von dem Ablader vorsätzlich oder fahrlässig verursacht worden ist. Nach dem Konnossement, dessen Inhalt mangels abweichender Vereinbarungen auch für den Seefrachtvertrag maßgebend ist, haftete das Schiff nicht für den Verlust oder die Beschädigung einer Sendung, deren Wert den Betrag

von 10 Pfd. Sterling überstieg, wenn nicht vorher schriftliche Vereinbarungen hierüber getroffen waren. Dem Ablader war der Wert bekannt; es wäre also seine Pflicht gewesen, eine entsprechende Vereinbarung zu treffen, um die Freizeichnung des Schiffes von der Haftpflicht zu beseitigen. Das gilt auch dann, wenn es in London nicht üblich war, Pelzsendungen als Kostbarkeit zu bezeichnen. Wäre die Vereinbarung getroffen worden, so hätte der Kapitän des Schiffes die Sendung in besonderen Verschluß genommen und der Verlust wäre abgewendet worden. (I, 9. Januar 1926.)
Amtl. Sammlg. S. 310—312.

68. **Schiedsurteil. Rechtliches Gehör.** (GerEntlVO. § 18; ZPO. §§ 349, 579.) Auf Vorschlag des Landgerichts erklärten sich die Parteien damit einverstanden, daß der Rechtsstreit durch den Berichterstatter unter Zuziehung eines Sachverständigen durch Schiedsurteil erledigt werde. Der vom Landgericht ernannte Sachverständige gab sein Gutachten schriftlich ab. Nachdem die Sache vor dem Berichterstatter mündlich verhandelt worden war, erließ dieser das Schiedsurteil. Der Beklagte erhob dagegen die Nichtigkeitsklage mit der Begründung, daß das Schiedsurteil durch die Kammer hätte erlassen werden müssen und daß ihm das rechtliche Gehör nicht ausreichend gewährt worden sei, da er von dem Gutachten des Sachverständigen keine Kenntnis erlangt habe. In allen Instanzen wurde die Klage abgewiesen. Zu der Zeit, da die Vereinbarung getroffen worden war, galt allerdings die Verordnung über das Verfahren in bürgerlichen Rechtsstreitigkeiten vom 13. Mai 1924 (Entlastungsverordnung) noch nicht; in dem Festhalten der Parteien an der Vereinbarung war aber eine stillschweigende Einigung entsprechend dieser Verordnung zu erblicken, so daß die Übertragung der Entscheidung an einen Einzelrichter nicht zu beanstanden war. Die Vorschrift der Prozeßordnung, wonach über vermögensrechtliche Ansprüche im Einverständnis der Parteien ein Einzelrichter an Stelle des Prozeßgerichts die Entscheidung treffen kann, gilt auch für den Bereich der Entlastungsverordnung; wenn es nach dieser zulässig ist, daß bei Rechtsstreitigkeiten, über deren Gegenstand die Parteien einen Vergleich

zu schließen berechtigt sind, das zuständige Gericht auf übereinstimmenden Antrag beider Parteien durch Schiedsurteil entscheidet, so kann die Erlassung dieses Schiedsurteils auch auf einen solchen Antrag einem Einzelrichter übertragen werden. Das Verfahren wird in diesem Falle vom Richter nach freiem Ermessen bestimmt; doch kann bei Versagung des rechtlichen Gehörs Nichtigkeitsklage erhoben werden. Das rechtliche Gehör besteht darin, daß den Parteien Gelegenheit gegeben wird, alles vorzubringen, was sie zur Wahrnehmung ihrer Rechte für erforderlich erachten. Ein Anspruch der Parteien auf Mitteilung einer Beweisaufnahme, insbesondere des Gutachtens eines Sachverständigen, ist nur dann gegeben, wenn dadurch neues Material oder ein neuer Gesichtspunkt hervorgetreten ist, zu dem die Parteien bis dahin keinen Anlaß hatten, Stellung zu nehmen. Das traf im vorliegenden Fall nicht zu, war auch vom Nichtigkeitskläger nicht behauptet. Sein Vorbringen, daß das Gutachten in vielen Punkten unrichtig gewesen sei, war nur eine Kritik. (VI, 12. Januar 1926.) Amtl. Sammlg. S. 313—317.

69. **Scheck. Handelsgebrauch.** (ScheckG. §§ 1, 3, 10, 13; BGB. § 157.) Bei einer Bank wurde angefragt, ob ein auf sie gezogener Scheck in Ordnung gehe; die Anfrage wurde bejaht. Alsbald nachher wurde der Scheck vom Aussteller gesperrt. Die Bank verweigerte daraufhin die Einlösung. Die Klage gegen sie wurde abgewiesen. Das Berufungsgericht hatte die Einvernahme eines Sachverständigen darüber, daß die Erklärung, der Scheck sei in Ordnung, die Verpflichtung enthalte, den Scheck einzulösen, mit der Begründung abgelehnt, die beklagte Bank brauche sich eine solche Auslegung ihrer Erklärung nicht gefallen zu lassen. Das Reichsgericht billigte die Ablehnung, aber nicht ihre Begründung. Der Kläger wollte mit seinem Beweisanerbieten einen Handelsbrauch dartun; die Ablehnung hätte damit begründet werden sollen, daß ein solcher Handelsbrauch, auch wenn er sich in der vom Kläger behaupteten Allgemeinheit entwickelt hätte, mit den das Scheckgesetz beherrschenden Grundsätzen nicht im Einklang stehe und um so weniger beachtet werden könne, als er geeignet wäre, eine Gefährdung des

Scheckverkehrs herbeizuführen und den Scheckaussteller unter allen Umständen schwer zu schädigen. Die Erklärung, daß ein Scheck in Ordnung gehe, bezieht sich, da mangels Vorlegung des Schecks dessen Echtheit und seine sonstigen Erfordernisse nicht geprüft werden können, nur darauf, daß der Aussteller in der Höhe des Schecks ein Guthaben bei der bezogenen Bank habe; eine Verpflichtung der Bank zur Einlösung des Schecks wird dadurch nicht begründet. Die Bank müßte sonst auf dem Konto des Ausstellers einen Vermerk eintragen, damit bei Abhebungen, Überweisungen und Vorlegung weiterer Schecke die Sperrung des entsprechenden Betrags erkenntlich bliebe. Das würde den Scheckverkehr um so mehr hemmen, als eine Anfrage dieser Art selbst dann zu einem Sperrvermerk führen müßte, wenn der Anfragende nur fälschlich behauptete, einen Scheck des Bankkunden zu besitzen. Wenn auch die Bank einen Widerruf des Schecks durch den Aussteller während der Vorlegungsfrist nicht zu berücksichtigen braucht, darf sie das doch tun; sie würde das Interesse ihres Kunden schlecht wahren, wenn sie ihn durch eine sich auf längere Zeit erstreckende Sperrung verhinderte, über sein Guthaben anderweitig zu verfügen. An dieser Rechtslage wurde auch dadurch nichts geändert, daß die Bank auf spätere Anfragen des Klägers erklärt hatte, das Geld sei für den Kläger gesperrt, sie werde weitere Verfügungen des Ausstellers nicht beachten. Eine Schuldübernahme oder eine Übernahme der Verpflichtung, mit dem gesperrten Guthaben des Ausstellers für die Scheckforderung des Klägers haften zu wollen, war hierin nicht zu finden; soweit es sich nicht um bloße Vertröstungen ohne rechtliche Erheblichkeit handelte, konnte die beklagte Bank diese Erklärungen nur mit der Beschränkung abgeben, daß ihre Verweigerung anderer Zahlungen gesetzlich zulässig und möglich sei. Wenn der Kläger verhindern wollte, daß das Guthaben des Ausstellers abgehoben wurde, hätte er es mit Arrest belegen müssen. (II, 12. Januar 1926.)

Amtl. Sammlg. S. 317—324.

Vgl. Bd. 99 S. 75.

70. Schadenersatz. Aufwertung. (BGB. §§ 242, 249, 326.) Auf Grund eines im Juni 1919 abgeschlossenen

Lieferungsvertrags wurde im Dezember 1919 eine Nachfrist bis 15. Januar 1920 mit der Erklärung gesetzt, daß nach Fristablauf die Annahme verweigert und Schadenersatz beansprucht werden würde. Unter Zugrundelegung des Marktpreises vom 15. Januar 1920 wurde auf Schadenersatz in Papiermark geklagt. Der Anspruch wurde dem Grunde nach als gerechtfertigt anerkannt. Im Verfahren über die Höhe des Anspruchs verlangte der Kläger den Betrag, der dem bisher eingeklagten Betrag nach dem Dollarkurs vom 15. Januar 1920 in Goldmark entsprach. Das Landgericht wies nunmehr die Klage ab mit der Begründung, daß der Kläger keinen Schaden erlitten habe, da bei einer Umrechnung des Vertragspreises und des Marktpreises in Goldmark der Marktpreis sich niedriger als der Vertragspreis gestellt habe. Die Berufung des Klägers wurde verworfen. Das Reichsgericht verwies die Sache zurück. Es kam darauf an, ob rechtlich die Papiermark vom Juni 1919 und vom Januar 1920 als gleichartige Wertmesser behandelt werden konnten. Im Jahre 1920 gab es niemand, der daran zweifelte; damals lebte man im Glauben, daß man sich in einer fortschreitenden Teuerung befinde, während man heute weiß, daß die Erhöhung der Warenpreise im wesentlichen nur der Ausdruck zunehmender Geldverschlechterung war. Der jetzigen Entscheidung solcher Fälle muß die geläuterte Auffassung über die Geldentwertung und Aufwertung zugrundegelegt werden. Der Satz „Mark ist Mark" ist jetzt als Irrglaube erkannt; auf einen solchen Irrglauben ein Urteil zu stützen, bloß weil man ihn früher für richtig hielt, geht nicht an. Verlangt jemand einen Schaden ersetzt, der auf den ziffernmäßigen Unterschied des Papiermarkpreises nach dem Vertrag und nach dem Stichtag zurückgeht, so muß für die Frage der Aufwertungsfähigkeit dieses Papiermarkunterschieds geprüft werden, ob der vertragliche Papiermarkpreis nach heutiger Anschauung aufwertungsfähig war oder nicht. Nur in diesem Fall liegt Gleichartigkeit des Wertmessers vor. Hiefür sind verschiedene Grenzlinien aufgestellt worden. Eine Auffassung geht dahin, daß schon von Kriegsbeginn an die Papiermark nur noch eine Meßmark gewesen sei; anderseits wird der Standpunkt vertreten, daß eine Aufwertung erst dann statthaft sei, wenn ohne sie der Gläubiger einen wirtschaftlich ernst zu nehmenden Gegenwert überhaupt nicht mehr erhielte. Das Reichsgericht hat die zweite Auffassung früher vertreten, aber aufgegeben. Eine Aufwertung ist schon dann zulässig, wenn sich das Verhältnis, das vertraglich zwischen Geld- und Sachleistung im Zeitpunkt der Entstehung des Schuldverhältnisses besteht, infolge der Geldentwertung zu der Zeit, wo die Zahlung geleistet werden soll, in ein unbilliges Mißverhältnis verkehrt hat. Die Entscheidung des Falles hing deshalb von der Frage ab, ob der Unterschied des Wertes der Papiermark im Juni 1919 und im Januar 1920 ein solches Mißverhältnis zu begründen vermochte. Zur Beantwortung dieser Frage reichten die Feststellungen des Berufungsgerichts nicht aus, da sie sich nur mit einer Wertvergleichung auf der Goldmarkgrundlage befaßten. Die nach dem Dollarkurs berechnete Goldmark war aber in der Frühzeit der Geldentwertung in keiner Weise geeignet, den inländischen Wert der Papiermark auszudrücken; dieser Wert war viel höher, als im Dollarkurs zum Ausdruck kam, da die Schwankungen des Dollarkurses gerade in jener Zeit wesentlich durch außenpolitische Gründe bestimmt waren, die auf den Inlandswert der Papiermark ohne tiefergehenden Einfluß blieben. Vom Februar bis zum Juni 1920 sank der Dollarkurs fortwährend, ohne daß die Waren im Inland merkbar billiger wurden. Es war deshalb auf anderem Wege zu prüfen, wie sich der Wert der Papiermark vom Juni 1919 zu dem vom Januar 1920 verhielt; als Anhaltspunkt hiefür bezeichnete das Reichsgericht die Valutatabellen der Frankfurter Sozietätsdruckerei und die Zeilerschen Umwertungszahlen. Soweit diese nicht ausreichten, mußte gefragt werden, welchen Verdienst der Großhändler bei Abschlüssen der in Betracht kommenden Art üblicherweise erzielt; der hienach zu ermittelnde Papiermarkschaden war nach allgemeinen Grundsätzen unter Berücksichtigung der allgemeinen Verarmung aufzuwerten. (I, 16. Januar 1925.)

Amtl. Sammlg. S. 324—329.

Vgl. Bd. 111 S. 147.

71. Grundstückskauf. Beseitigung von Hypotheken. Aufwertung. (BGB. §§ 119, 242, 434, 439; AufwG. §§ 15, 20.) In einem am 4. Oktober 1922 abgeschlossenen Kaufvertrag über ein Grundstück verpflichtete sich der Verkäufer zur Wegfertigung der darauf liegenden Hypotheken. Der Klage auf Erfüllung dieser Verpflichtung wurde in zwei Instanzen entsprochen; das Reichsgericht verwies die Sache zurück. An der Verpflichtung des Beklagten wurde grundsätzlich dadurch nichts geändert, daß zur Zeit des Vertragsabschlusses der Aufwertungshöchstbetrag für Hypotheken 15 v. H. des Geldwerts betrug, später aber durch das Aufwertungsgesetz auf 25 v. H. des Goldwerts hinaufgesetzt wurde. Auch wenn der Beklagte die Hypotheken alsbald nach Vertragsschluß weggefertigt hätte, wäre er nach dem Vertrag verpflichtet geblieben, die zufolge der Rückwirkung des Aufwertungsgesetzes neu eingetragenen Hypotheken zu beseitigen, da die Verpflichtung auf übertragung eines lastenfreien Grundstücks auf den Kläger ging. Zu prüfen war aber, ob sich die übernahme einer solchen Verpflichtung mit dem für das Grundstück gewährten Kaufpreis vertrug. Wenn der in Goldmark umgerechnete Kaufpreis niedriger war als der für die Beseitigung der Hypothek aufzuwendende Betrag, konnte dem Gläubiger nach Treu und Glauben nicht zugemutet werden, die Hypotheken zu beseitigen. Bei gegenseitigen Verträgen pflegen die Parteien Leistung und Gegenleistung als gleichwertig oder doch in einem bestimmten Wertverhältnis stehend anzusehen und demgemäß zu vereinbaren. Dieses Gleichgewicht zwischen Leistung und Gegenleistung kann in solchen Fällen erschüttert werden, in denen der Verkäufer eines Grundstücks, der sich zur Wegfertigung der darauf ruhenden Hypothek verpflichtet hat, größere Beträge hiefür aufwenden muß, als beim Vertragsschluß vorauszusehen war; es kann ein so erhebliches Mißverhältnis zwischen Leistung und Gegenleistung eintreten, daß es gegen Treu und Glauben verstoßen würde, wenn der Verkäufer die übernommene Verpflichtung erfüllen müßte. In solchen Fällen kann er verlangen, daß der Erwerber des Grundstücks zur Wegfertigung der Hypothek einen Beitrag leiste; im Falle der Verweigerung kann er die Wegfertigung der Hypothek ablehnen oder vom Kaufvertrag zurücktreten. Im einzelnen Fall sind die gesamten Verhältnisse, die dazu dienen können, einen billigen und gerechten Ausgleich zwischen Leistung und Gegenleistung herbeizuführen, in Betracht zu ziehen und zu würdigen, so außer der Höhe des Kaufpreises und der zur Wegfertigung der Hypothek nötigen Beträge sowohl nach ihrem Nennbetrag als nach ihrem Geldwert die wirtschaftliche Lage der Vertragsteile, der Umstand, daß das Grundstück möglicherweise im Wert gestiegen ist, daß vielleicht der Veräußerer sich um den Kaufpreis wertbeständige Vermögensstücke beschafft hat, das Interesse, das der Verkäufer an der Beseitigung der Hypothek deswegen hat, weil er dafür persönlich haftet. Voraussetzung für diese Sachbehandlung ist aber, daß dem Kaufvertrag der spekulative Einschlag fehlt und daß das Veräußerungsgeschäft zu einer Zeit abgeschlossen worden ist, zu der der Verkäufer mit einer Aufwertung der Hypothek überhaupt noch nicht oder doch nicht in dem jetzt geltenden Maß zu rechnen brauchte. Der Umstand, daß der Verkäufer eines Grundstücks schon nach gesetzlicher Vorschrift zur Wegfertigung der darauf ruhenden Hypothek verpflichtet ist, schließt eine solche Sachbehandlung nicht aus, da auch diese Verpflichtung nach Treu und Glauben beurteilt werden muß. Eine Anfechtung des Vertrags wegen Irrtums kam nicht in Frage; der Irrtum des Beklagten bestand nur darin, daß er nicht mit einer Aufwertung der Hypotheken rechnete, war also nur ein Irrtum im Beweggrund, nicht aber ein Irrtum über den Inhalt der Erklärung. Auch ein Irrtum über Eigenschaften der Sache, die im Verkehr als wesentlich angesehen werden, lag nicht vor. Der Irrtum bezog sich nur auf die Hypotheken; ob diese als Sachen im Sinne dieser Vorschrift angesehen werden können, blieb dahingestellt, denn die Vorschrift konnte schon deshalb nicht die Grundlage einer Irrtumsanfechtung bilden, weil die Möglichkeit einer künftigen Gestaltung der Rechtsprechung oder Gesetzgebung keinesfalls eine gegenwärtige Eigenschaft der Hypothek bildete. (V, 10. Februar 1926.)

Amtl. Sammlg. S. 329—335.

Vgl. Bd. 75 S. 271; Bd. 97 S. 140; Bd. 101 S. 53; Bd. 103 S. 328; Bd. 106 S. 7, 424; Bd. 107 S. 19, Bd. 110 S. 70.

72. **Angestelltenversicherung. Beamtenhaftung. Schadenersatz.** (RVerf. Art. 10, 131; BGB. § 839; RHaftG. §§ 1, 4; AngVersG. §§ 96, 98, 101, 102, 104, 141, 210.) Ein Arbeitgeber meldete im Jahre 1913 seine sämtlichen Angestellten zur Angestelltenversicherung an. Die Auskunftsstelle des Rentenausschusses eröffnete ihm, daß bestimmte Gruppen der Angestellten nicht versicherungspflichtig seien. Für diese wurden in der Folgezeit keine Versicherungsbeiträge gezahlt. Im Jahre 1915 verlangte die Reichsversicherungsanstalt für Angestellte, daß auch diese Angestellten versichert und daß für sie die Beiträge seit dem 1. Januar 1913 nachgezahlt würden. Im Streitverfahren wurde in diesem Sinne entschieden. Der Arbeitgeber zahlte rund 8000 Mk. Beiträge nach, verlangte aber die Hälfte dieses Betrags im Klageweg zurück mit der Begründung, daß er durch die ihm erteilte unrichtige Auskunft abgehalten worden sei, die ihm von den Angestellten zu erstattende Beitragshälfte abzuziehen. Das Berufungsgericht wies die Klage ab. Das Reichsgericht verwies die Sache zurück. Nach der Reichsverfassung haften alle öffentlichen Körperschaften für schuldhafte Handlungen ihrer Beamten; diese Vorschrift konnte aber nicht zur Anwendung kommen, weil die angeblich schädigende Handlung vor Erlaß der Reichsverfassung begangen war. Das Reichshaftungsgesetz legt seinem Wortlaute nach dem Reich nur eine Haftung für die Reichsbeamten auf. Der Beamte der Auskunftsstelle, der den unrichtigen Aufschluß erteilt hatte, war kein Reichsbeamter; nur bestimmte im Gesetz ausdrücklich bezeichnete Beamte der Reichsversicherungsanstalt für Angestellte haben die Rechte und Pflichten der Reichsbeamten; ob sie darum schon im Sinne des Reichshaftungsgesetzes als Reichsbeamte anzusehen sind, konnte um so mehr dahingestellt bleiben, als die Klage sich nicht gegen das Reich, sondern gegen die Reichsversicherungsanstalt richtete. Dagegen führte die entsprechende Anwendung des Reichshaftungsgesetzes zur Anerkennung der Klage. Der Grundgedanke des Gesetzes ist der, daß die unmittelbare Ver-

antwortlichkeit für die Ausübung der öffentlichen Reichsgewalt das Reich, nicht seine Beamten treffen soll. Die folgerichtige Durchführung dieses Gedankens erfordert, daß, wenn das Reich öffentliche Gewalt nicht durch seine eigenen Beamten ausübt, sondern sie einer selbständigen Körperschaft des öffentlichen Rechts überträgt, diese dann für eine vorsätzliche oder fahrlässige Amtspflichtverletzung ihrer Beamten haften muß. Könnte sie darauf verweisen, den schuldigen Beamten nach den Vorschriften des bürgerlichen Gesetzbuches in Anspruch zu nehmen, so müßte man das Vorhandensein einer mit der Einheitlichkeit des Rechtssystems unvereinbaren und sachlich nicht zu rechtfertigenden Lücke im Gesetz annehmen. Das Reich hat die Angestelltenversicherung nicht selbst übernommen, sondern zu ihrem Träger eine rechtsfähige, mit dem Charakter einer öffentlichen Behörde ausgestattete Anstalt gemacht. Diese Anstalt übt auf dem Gebiete der Angestelltenversicherung die ihr vom Reich übertragene öffentliche Gewalt aus; sie muß also auch die Folgen der in diesem Bereich sich ergebenden schuldhaften Amtspflichtverletzungen tragen. Der Beamte, der den unrichtigen Aufschluß erteilte, erfüllte damit eine der Auskunftsstelle als Organ der beklagten Anstalt obliegende öffentlich-rechtliche Verpflichtung; soweit er dabei eine schuldhafte Amtspflichtverletzung beging, haftete die beklagte Anstalt. Allerdings ergab sich aus der Unrichtigkeit der Auskunft noch nicht, daß ein Verschulden vorlag. Das Angestelltenversicherungsgesetz war erst kurz vorher in Kraft getreten; ein Fehlgreifen in der Auskunftserteilung konnte nicht ohne weiteres als schuldhaft angesehen werden. Zu prüfen war besonders, ob nicht bei der Zweifelhaftigkeit der Rechtslage der Beamte auf die Möglichkeit, eine Entscheidung herbeizuführen, hätte hinweisen müssen. (III, 30. Oktober 1925.)

Amtl. Sammlg. S. 335—340.

73. **Eisenbahnfracht. Ablieferung. Haftung.** (HGB. § 456; EVO. §§ 84, 86, 97.) Ein Eisenbahnwagen mit Waren wurde am 26. Juli 1919 von Bonn nach Köln gesandt. Am folgenden Tag traf er dort ein. Der Empfänger lud, ohne den Frachtbrief einzulösen, im Einverständnis mit der Bahn am 29. Juli einen Teil

der Ware aus, schloß den Wagen ab und ließ ihn auf dem Entladungsgleis stehen. Am 12. August löste er den Frachtbrief ein. Als er den Rest der Ware ausladen wollte, ergab sich, daß ein Teil abhanden gekommen war. Die Klage auf Werterſatz wurde von den Untergerichten als gerechtfertigt anerkannt. Das Reichsgericht verwies die Sache zurück. Für die Frage der Haftung der Eisenbahn war entscheidend, ob zur Zeit des Diebstahls der Wagen schon an den Kläger abgeliefert war. Ablieferung ist der Vorgang, durch den die Bahn den Gewahrsam an dem beförderten Gut im Einverständnis mit dem Empfänger aufgibt und diesen in den Stand setzt, die tatsächliche Gewalt über das Gut auszuüben. Beweispflichtig für die Ablieferung war die Eisenbahn. Das Berufungsgericht hatte aus dem Umstand, daß der Kläger den Wagen am 29. Juli zum Teil entladen hatte, gefolgert, daß von da an der Wagen endgültig zu seiner Verfügung stand. Das stimmte mit den Abfertigungsvorschriften nicht überein; nach diesen ist das Gut erst nach Vorzeigung des eingelösten Frachtbriefes abzuliefern. Der Beamte, mit dem der Kläger verhandelte, hatte gegen diese Vorschrift verstoßen; an der Tatsache, daß der Wagen dem Kläger abgeliefert worden war, änderte das aber nichts. Ob die Bahn auch noch nach der Ablieferung aus dem Frachtvertrag haftet, ist umstritten. Das Reichsgericht ließ dahingestellt, ob eine Pflicht der Eisenbahn hinsichtlich der Ermöglichung der Ausladung und Abfuhr fortbesteht; es lehnte aber die Annahme einer Obhutspflicht über die noch nicht ausgeladenen Waren ab. Will der Empfänger das Gut nicht sofort entladen, so muß er sich mit der Bahn über die Verwahrung einigen; es wäre unbillig, der Bahn eine Bewachung aufzubürden, obwohl sie gar nicht weiß, ob der Wagen noch Güter enthält. Das Wagenstandsgeld ist nur ein Ersatz für die der Eisenbahn entzogene Wagenbenützung, nicht ein Entgelt für die Bewachung des Wagens. Daraus, daß der Wagen noch auf einem Bahngleis steht, ergibt sich gleichfalls keine Haftung der Eisenbahn gegenüber dem Empfänger; die Eisenbahn läßt zwar das ganze Bahnhofgelände bewachen, weil dort sich noch Güter befinden, für die sie haftet, sie übernimmt

damit aber keine Bewachungspflicht gegenüber dem Empfänger schon abgelieferter Güter. Zu prüfen war, ob nicht eine außervertragliche Haftung in Frage kam. (I, 16. Januar 1926.) Amtl. Sammlg. S. 341—345.
Vgl. Bd. 102 S. 206.

74. Aufwertung. Pfandbrief. Vorzeitige Einlösung. Bank. Hinterlegung. Ausschluß der Haftung. Rückwirkung. (AufwG. § 79.) Bei einer Bank waren Pfandbriefe hinterlegt. Im Sommer 1923 wurden sie zum 1. April 1924 gekündigt; die Pfandbriefbank erbot sich, sie schon zum 15. November 1923 einzulösen. Von dem Angebot machte die Bank Gebrauch, ohne den Hinterleger vorher zu fragen oder nachher zu benachrichtigen. Am 16. November 1923 schrieb sie ihm 16 Billionen Papiermark gut. Im Dezember verlangte er die Herausgabe der Pfandbriefe und erhob, da dem Verlangen nicht stattgegeben werden konnte, Klage hierauf. Das Berufungsgericht erkannte den Anspruch mit der Maßgabe als begründet an, daß nur gekündigte Pfandbriefe zu liefern seien. Das Reichsgericht verwies die Sache zurück. Nach dem Aufwertungsgesetz fällt dem Verwalter eines fremden Vermögens ein zum Schadenersatz verpflichtendes Verschulden nicht zur Last, wenn er im Vertrauen auf den Stand der Gesetzgebung oder Rechtsprechung bei Verfügungen über Ansprüche, die der Aufwertung nach den Vorschriften dieses Gesetzes unterliegen, mit einer Aufwertung nicht gerechnet hat. Diese Bestimmung hat rückwirkende Kraft, indem sie eine besondere rechtliche Beurteilung zeitlich zurückliegender Handlungen vorschreibt. Demgemäß konnte der beklagten Bank nicht zum Vorwurf gemacht werden, daß sie bei der Einlösung der Pfandbriefe annahm, eine Aufwertung werde nicht erfolgen, denn zu dieser Zeit war weder in der Gesetzgebung noch in der Rechtsprechung die Überzeugung durchgedrungen, daß eine Aufwertung durch Rücksichten auf das Volkswohl und die Billigkeit geboten sei und dem richtigen Recht entspreche; auch die Reichsregierung stellte sich noch auf einen durchaus ablehnenden Standpunkt. Die Geltendmachung eines anderen Verschuldens der beklagten Bank war dadurch nicht ausgeschlossen. Ein solches konnte darin gefunden werden, daß die Bank dem Kläger keine

Mitteilung von dem Einlösungsangebot machte. Anderseits war zu prüfen, ob nicht den Kläger selbst ein Mitverschulden traf, da er sich in keiner Weise um seine Papiere kümmerte. (I, 16. Januar 1926.)

Amtl. Sammlg. S. 345—348.

Vgl. Bd. 111 S. 345; Bd. 112 S. 169.

75. **Lebensversicherung. Zahlungsverbot. Vollstreckungsgegenklage.** (VersAufsG. § 69; ZPO. §§ 166, 767.) Eine Versicherungsgesellschaft wurde am 9. Juli 1923 zu einer Zahlung von 25000 holländischen Gulden verurteilt. Am 7. Juli 1924 erließ das Reichsaufsichtsamt für Privatversicherung eine Entscheidung, wornach die am 7. Juli 1924 laufenden Versicherungen der Gesellschaft ermäßigt, die Festsetzung der Höhe der Ermäßigung vorbehalten und bis zur Festsetzung der Gesellschaft Zahlungen jeder Art verboten wurden. Inzwischen war für die Forderung eine Pfändung vorgenommen worden. Die Versicherungsgesellschaft klagte auf Feststellung, daß eine Vollstreckung aus dem Urteil bis auf weiteres unzulässig sei. Die Klage drang durch. Die Entscheidung des Reichsversicherungsamtes bezog sich allerdings zunächst nur auf Versicherungen, die noch nicht zur Auszahlung fällig geworden waren; das Verbot der Zahlungen lautete aber allgemein und schloß alle nicht besonders zugelassenen Zahlungen aus. Damit war auch dem Gläubiger verboten, Zahlung zu fordern; wenn er es dennoch tat, konnte sich der Schuldner auf das Zahlungsverbot berufen. Dieses bedeutete eine von der zuständigen Behörde im gesetzlich geordneten Verfahren bewilligte Stundung; der Einwand der Stundung ist materieller Art und richtet sich gegen den Anspruch selbst. Demgemäß war nicht ein Einwand gegen die Art und Weise der Zwangsvollstreckung, sondern eine Vollstreckungsgegenklage am Platz. (VI, 22. Januar 1926.) Amtl. Sammlg. S. 348—352.

76. **Gebrauchsmuster. Geschmacksmuster. Ausstattungsschutz. Warenzeichen.** (WZG. § 15.) Eine Nähseidenfabrik brachte ihre Seide auf Sternkärtchen aus Pappe in den Verkehr, deren Rand sternartig ausgezackt war. Ihr Inhaber klagte gegen einen anderen Fabrikanten, der die von ihm erzeugte Seide auf ähnlichen Kärtchen in den Verkehr brachte, auf Unterlassung und

Schadensersatz. Ein die Klage abweisendes Urteil des Berufungsgerichts wurde vom Reichsgericht aufgehoben; im neuen Urteil gab das Berufungsgericht der Klage statt. Die Revision des Beklagten hatte keinen Erfolg. Der Kläger hatte ursprünglich an den Kärtchen einen Geschmacksmusterschutz und später einen Gebrauchsmusterschutz besessen; beide waren schon vor dem Jahre 1900 erloschen. Die Klage war auf Ausstattungsschutz gestützt. Dieser hat zur Voraussetzung, daß die Gestaltung der Ware oder deren äußere Erscheinung oder Verpackung eine nicht zu Arbeits- oder Gebrauchszwecken dienende, charakteristische Besonderheit darstellt, die innerhalb beteiligter Verkehrskreise als Kennzeichen des Erzeugnisses einer und derselben Herkunftsstätte gilt. Das traf hier zu. Der Beklagte hatte eingewendet, daß es nicht zulässig sei, nach Ablauf der Schutzfristen des gewerblichen Rechtsschutzes noch den formlosen Ausstattungsschutz zu beanspruchen. Diese Auffassung wies das Reichsgericht als unrichtig zurück. Ebenso wie ein durch Warenzeichen geschützter Gegenstand vor und während der Eintragung des Zeichens und nach seiner Löschung Ausstattungsschutz genießen kann, muß das auch für das Geschmacksmuster gelten, das ja begrifflich nicht im Gegensatz zur Ausstattung steht. Gebrauchsmusterschutz und Ausstattungsschutz schließen sich allerdings aus, da das Gebrauchsmuster ein Mittel zur Errichtung praktisch technischer Zwecke ist. Daher ist es ausgeschlossen, daß eine Gestaltung zu technischen Zwecken, die früher durch Patent oder Gebrauchsmusterschutz gegen Nachahmung gesichert war, nach Erlöschen dieses Schutzes aber frei geworden ist, Ausstattungsschutz genießen könnte. Das hatte das Berufungsgericht berücksichtigt, indem es alles, was technischen Zwecken diente, von der Möglichkeit, Ausstattungsschutz zu genießen, ausschloß. (II, 22. Januar 1926.) Amtl. Sammlg. S. 352—354.

77. **Charterfracht. Unterfracht.** (HGB. §§ 556, 614, 523, 524, 642, 662.) Eine Reederei vercharterte einen Dampfer an eine Gesellschaft für eine Reise nach Portugal und Spanien. Ein Handelshaus in Hamburg schloß mit der Gesellschaft einen Frachtvertrag über Versendung einer Ware nach Spanien und bezahlte

dafür 2000 Peseten. Als der Dampfer auslaufen sollte, erklärte die Gesellschaft, die Charterfracht nicht zahlen zu können. Die Reederei trat vom Vertrag zurück und verhandelte mit den Absendern der im Schiff verladenen Waren. Das Hamburger Handelshaus verlangte die Herausgabe seiner Ware; die Reederei machte diese von der Zahlung eines entsprechenden Teils an der Charterfracht, den es auf 95 Pfd. Sterling berechnete, abhängig. Das Handelshaus zahlte darauf ohne Vorbehalt die 95 Pfd. und erhielt die einbezahlten 2000 Peseten zurück; die Ware wurde in Rotterdam ausgeladen und ihr zur Verfügung gestellt. Ihre Klage auf Schadenersatz führte dazu, daß die Reederei verurteilt wurde, ihr 95 Pfd. Sterling nebst Zinsen Zug um Zug gegen Rückgabe von 2000 Peseten zu zahlen; auch im übrigen wurde der Anspruch dem Grunde nach als gerechtfertigt anerkannt. Das Berufungsgericht hatte festgestellt, daß der Klagepartei ein erheblicher Nachteil drohte, wenn sie nicht alsbald in den Besitz ihrer Ware kam, und daß sie unter einer auch der Gegenpartei erkennbaren Zwangslage gehandelt habe; daraus hatte es gefolgert, daß die unter solchen Umständen erfolgte vorbehaltlose Zahlung nicht als eine Kundgebung des Willens gedeutet werden könne, sich dem Standpunkt der beklagten Partei bedingungslos zu unterwerfen. Das Reichsgericht entschied, daß hierin ein Rechtsirrtum nicht zu finden sei. Die Beurteilung der Frage, welche Bedeutung und Wirkung der Zahlung der Klagepartei beizumessen war, hing im wesentlichen von tatsächlichen Erwägungen ab, wobei entscheidendes Gewicht darauf zu legen war, wie sich das Verhalten der Klagepartei bei gutgläubiger, unbefangener Beurteilung darstellte. Dem Umstand, daß die eine Seite zunächst Zahlung unter Vorbehalt anbot, die andere Seite aber das Fallenlassen des Vorbehalts verlangte und daß nunmehr ohne ausdrücklichen Vorbehalt Zahlung geleistet wurde, konnte die Bedeutung beizumessen sein, daß damit auf die von dem Vorbehalt umfaßten Ansprüche und Rechte verzichtet war. Es konnte aber unter Umständen der Fall so liegen, daß das Fallenlassen des Vorbehalts auch für die Gegenseite erkennbar, keinen solchen Verzicht bedeutete und ein solcher Umstand konnte darin gefunden werden, daß die Preisgabe des Vorbehalts nur unter einem stärkeren Zwang und in einer Weise erfolgte, die auch der beklagten Partei zeigte, daß die Klagepartei ihren grundsätzlichen Rechtsstandpunkt aufrechterhielt und auf ihre von dem Vorbehalt erfaßten Rechte nicht verzichten wollte. Die Klagepartei hätte allerdings durch Hinterlegung des von der beklagten Partei geforderten Betrags diese zur Herausgabe der Ware verpflichten können, die Durchführung dieses Anspruchs hätte aber erhebliche Zeit beansprucht und wäre in Anbetracht der Tatsache, daß das Schiff die Reise schon angetreten hatte, sehr unsicher gewesen. Die beklagte Partei hatte auch kein Recht, von der Klagepartei die geforderte Zahlung zu verlangen. Nach dem Chartervertrag, den sie mit der Gesellschaft geschlossen hatte, war die Gesellschaft berechtigt, Konnossemente für die Reederei zu zeichnen; das war gegenüber der Klagepartei geschehen. Da der Abschluß des hierin liegenden Unterfrachtvertrags zu den Obliegenheiten des Kapitäns des Schiffes gehörte, haftete für die Ausführung die beklagte Partei; sie war verpflichtet, das Ladungsgut entsprechend dem Unterfrachtvertrag nach Spanien zu befördern und zwar zu dem im Unterfrachtvertrag vereinbarten Betrag, den die Klägerin bereits gezahlt hatte. Demgemäß stand ihr auch kein Pfandrecht an der Ware der Klagepartei zu. Allerdings hatte sie mit der Gesellschaft vereinbart, daß sie an der verladenen Ware ein Pfandrecht habe; diese Vereinbarung war aber für die Klagepartei nicht verbindlich. (I, 23. Januar 1926.) Amtl. Sammlg. S. 355—361.

78. **Erfinderrecht. Patent. Vertragsstrafe. Gesellschaft. Schenkung. Gute Sitten.** (BGB. §§ 138, 340, 341, 518, 744.) Für eine Webmaschine wurde ein Patent erteilt. Beim Bau der Maschine waren dem Erfinder sein Vater und sein Bruder behilflich gewesen. Wegen Verletzung des Patents kam es zu einer Klage gegen drei Fabrikbesitzer. Der Rechtsstreit endigte mit einem Vergleich, worin der Erfinder seine Erfindung und die dafür genommenen Schutzrechte seinen Gegnern gegen eine Zahlung von 50000 Mark überließ. An dem Vergleich beteiligten sich auch der Vater und der Bruder des Erfinders; sie verpflichteten sich, künftig jede Her-

stellung solcher Maschinen zu unterlassen und alle künftigen Ideen für Verbesserungen oder neue Konstruktionen solcher Maschinen kostenlos dem Patenterwerber auszuliefern. Für den Fall der Verletzung dieser Verpflichtung wurde eine Vertragsstrafe von 30000 Mark vereinbart. Mehrere Jahre später erwarb der Bruder des Erfinders ein Patent für eine von ihm erfundene Webmaschine. Auf Grund des Vertrags wurde gegen ihn Klage auf Unterlassung der Herstellung und des Vertriebs der Maschinen und auf Zahlung der Vertragsstrafe erhoben. Das Landgericht gab der Klage statt; das Berufungsgericht wies den Antrag auf Zahlung der Vertragsstrafe ab. Die Revision des Beklagten hatte keinen Erfolg. Nach dem Vertrag war der Beklagte verpflichtet, nicht nur die Herstellung und den Betrieb der von seinem Bruder erfundenen Webmaschine, sondern überhaupt jeder Webmaschine zu unterlassen und alle von ihm ausgedachten Verbesserungen und Neubauten solcher Maschinen, auch wenn sie auf anderen Grundlagen hergestellt wurden, den Vertragsgegnern zur Ausnützung kostenlos zu überlassen. Dem Kläger kam es damals nicht nur auf die Sicherung des von ihm erworbenen Patents an, das ja seinen Schutz in sich selber trug, sondern auch auf Fernhaltung eines seinem Gewerbe nach dem Ablauf der Schutzdauer des Patents schädlichen Wettbewerbs. Der Beklagte hatte eingewendet, daß ein solcher Vertrag gegen die guten Sitten gehe, da seine schöpferische Tätigkeit ohne jede Gegenleistung verkümmere. Das Reichsgericht trat dieser Auffassung nicht bei. Der Beklagte war früher als Weber tätig und hatte zur Zeit des Vertragsschlusses einen Handel mit Tuchen betrieben; er war in seinen damaligen Erwerbsverhältnissen durch den Abschluß des Vertrags nicht beschränkt und auch in der Erfindung anderer Maschinen nicht behindert worden. Wenn er auch selbst für die Übernahme seiner Verpflichtung nichts erhalten hatte, war doch ein Ausgleich dafür darin zu erblicken, daß der seinem Bruder gezahlte Preis für das Patent mit Rücksicht auf diese Verpflichtung sehr hoch bemessen worden war. Demgemäß konnte auch von einer Schenkung, die einer gerichtlichen oder notariellen Verbriefung bedurft hätte, keine Rede sein.

Das Landgericht hatte der Klage nach beiden Richtungen stattgegeben. Auch das Berufungsgericht erklärte es für zulässig, neben der Vertragsstrafe den Anspruch auf künftige Unterlassung zu erheben. Es machte die Entscheidung davon abhängig, ob mit der Vertragsstrafe das Interesse der Patenterwerber an der ganzen Unterlassung oder nur am Unterbleiben einer einzelnen Zuwiderhandlung gedeckt werden sollte; für den ersten Fall wollte es Nichterfüllung der Verpflichtung (BGB. § 340), für den zweiten nicht gehörige Erfüllung der Verpflichtung (BGB. § 341) angenommen wissen. Bei der Prüfung der Frage kam es zu dem Ergebnis, daß die ausbedungene Strafe nicht das volle Interesse der Patenterwerber an der Einhaltung der vom Beklagten und seinen Angehörigen übernommenen Verpflichtungen umfasse; das wurde aus der Sachlage, insbesondere mit Rücksicht auf die Höhe der Strafe und die Aufwendungen der Patenterwerber begründet. Die Abweisung des Antrags scheint aus dem Grunde erfolgt zu sein, weil die Klagepartei erklärte, daß sie für den Fall der Zuerkennung des Unterlassungsanspruchs auf Geltendmachung der Vertragsstrafe verzichtete. Die Klage war von einer offenen Handelsgesellschaft erhoben worden, der von den drei Patenterwerbern nur einer angehörte. Die Sachbefugnis der Klagepartei wurde vom Beklagten ohne Grund bemängelt; sie ergab sich aus der Vorschrift, daß jeder Teilhaber einer Gemeinschaft berechtigt ist, die zur Erhaltung des Gegenstandes erforderlichen Maßnahmen ohne Zustimmung der anderen Teilhaber zu treffen. Diese Vorschrift ist auch auf Gesellschaftsverhältnisse sinngemäß anzuwenden. (I, 23. Januar 1926.) Amtl. Sammlg. S. 361—368.

Vgl. Bd. 70 S. 439.

79. **Dienstbarkeit. Instandhaltung von Anlagen.** (BGB. §§ 1020, 1022, 1090.) Beim Verkauf einer Wirtschaft, die an einem Fluß gelegen war, wurde vereinbart, daß der Verkäufer das Recht haben solle, die Dampferanlegestelle, die zu der Wirtschaft gehörte, und die zu ihr über das verkaufte Grundstück führenden Wege zu benutzen. Die Anlegestelle bestand aus einem Bollwerk (Spundwand) hinter der Uferlinie, einer Reihe von Pfählen, die im Fluß eingeschlagen waren (Gor-

dungswand) und einer Bretterdecke, die über diese Pfähle gelegt war. Nach längerer Zeit geriet die Landungsstelle in Verfall. Der Eigentümer der Wirtschaft verlangte von dem Verkäufer Wiederherstellung. Das Berufungsgericht gab der Klage statt. Die Revision des Beklagten hatte teilweise Erfolg. Es handelte sich um die Instandhaltung einer Anlage, die der Ausübung einer beschränkten persönlichen Dienstbarkeit diente, mithin um eine auf Leistung gerichtete Nebenverpflichtung, welche die Bestellung einer solchen Dienstbarkeit außer ihrem auf Dulden oder Unterlassen hinauslaufenden Hauptinhalt mit sich bringen kann. Indem der Beklagte sich bei der Veräußerung der Wirtschaft die Benutzung der Dampferlandestelle vorbehielt, übernahm er die Verpflichtung, diese auf dem Grundstück des Klägers liegende Anlage in ihrem vollen Umfang zu unterhalten, auch soweit sie neben ihrer Hauptbestimmung, den Schiffsverkehr zu ermöglichen, der Uferbefestigung, also dem Interesse des Klägers, diente. Eine gesetzliche Pflicht des Eigentümers, eine solche Anlage ganz oder teilweise zu erhalten, kennt das Gesetz nur in dem Fall, wenn die Grunddienstbarkeit sich darin erschöpft, auf einer baulichen Anlage des belasteten Grundstücks eine bauliche Anlage zu halten. Das traf hier nicht zu. Die Klage war sonach begründet, soweit die Spundwand in Betracht kam, nicht aber soweit es sich um die Gordungswand handelte. Diese befand sich nicht auf dem Grundstück des Klägers, sondern auf fiskalischem Gelände; dem Kläger stand demgemäß kein Recht zu, von dem Beklagten die Instandhaltung der außerhalb seines Grundstücks befindlichen Anlage zu verlangen. Daß die Gordungswand mit der Spundwand zusammenhing, machte sie nicht zu einer Anlage auf dem dienenden Grundstück. (V, 25. Januar 1926.)

Amtl. Sammlg. S. 368—371.

80. **Kraftwagenversicherung. Allgemeine Versicherungsbedingungen. Unfall. Radbruch.** (BGB. §§ 157, 242.) An einem Kraftwagen brachen während der Fahrt die Speichen des einen Hinterrads; der Wagen wurde dadurch an einen Baum geschleudert und zertrümmert. Der Klage auf Zahlung der Versicherungssumme wurde entgegengehalten, daß nach den Versicherungsbedin-

gungen die Versicherung sich nicht auf Bruchschaden erstrecke. In allen Instanzen drang die Klage durch. Nach den Versicherungsbedingungen waren die Bruchschäden den Abnützungsschäden, Betriebsschäden und Maschinenschäden gleichgestellt. Solche Schäden sind nicht als Unfallschäden anzusehen und die Versicherung will sich mit Recht dagegen schützen, daß sie nicht für die Ausbesserungskosten für Kraftwagen in Anspruch genommen wird, die auf solchen Ursachen beruhen. Anders liegt aber die Sache, wenn durch einen Bruchschaden ein wirklicher Unfall herbeigeführt wird. Wenn ein Kraftwagen gegen einen Baum fährt und dadurch beschädigt oder zertrümmert wird, kann füglich nicht in Abrede gestellt werden, daß der Schaden durch ein von außen her plötzlich auf den Wagen einwirkendes Ereignis herbeigeführt wird. Die unmittelbare Ursache des Unfalls ist dann das Anfahren an den Baum und es kommt nicht in Betracht, ob dieses Ereignis in schlechter Führung, im Versagen der Steuerung oder in einem Radbruch seinen Grund hat. Für solche Unfallschäden haftet die Versicherung. (VI, 26. Januar 1926.) Amtl. Sammlg. S. 371—373.

81. **Lieferungsanspruch. Abtretung. Schadenersatz. Zeitpunkt.** (BGB. §§ 249, 275; ZPO. § 287; RG.-EntlVO. Art. I § 1.) Im Jahre 1921 erhielten Landwirte, die an das Reich mehr Getreide ablieferten, als ihre Sollabgabe betrug, von der Reichsgetreidestelle Maisbezugscheine, die das Recht gaben, die darauf angegebene Menge Mais gegen Zahlung von 60 Mark für den Zentner vom Reich zu verlangen. Ein Landwirt verkaufte solche Scheine. Versehentlich bot die Reichsgetreidestelle dem Verkäufer die Lieferung an; er zahlte den verlangten Betrag ein und bezog den Mais am 23. August 1921. Der Käufer erhielt hievon am 29. Oktober 1921 Kenntnis; er verlangte Herausgabe der Ware und setzte hiefür eine Frist bis zum 5. November 1921 mit der Androhung, daß er nach Fristablauf die Annahme der Leistung ablehnen werde. Der Verkäufer erbot sich, den Unterschied zwischen dem Tagespreis vom 23. August 1921 (140 Mark) und dem Bezugspreis (60 Mark für den Zentner) zu vergüten und sandte dem Käufer einen auf diesen Betrag lautenden Scheck. Dieser

klagte auf einen Betrag, den er in der Weise errechnete, daß er den Tagespreis vom 5. November 1921 mit 315 Mark für den Zentner zugrunde legte und hiervon den Bezugspreis von 60 Mark für den Zentner und den Scheckbetrag in Abzug brachte, anderseits 275 Mark Auslagen für die Ermittlung des Tagespreises in Rechnung stellte. Das Berufungsgericht wies die Klage ab. Die Revision des Klägers führte zur Zurückverweisung der Sache. Es handelte sich um die Entscheidung der materiellrechtlichen Frage, ob für die Berechnung der Höhe des Schadens der 23. August 1921 oder der 5. November 1921 maßgebend war; die Revision war demgemäß nicht nur auf eine Verletzung der Vorschriften der Zivilprozeßordnung über die Feststellung der Höhe des Schadens gestützt und durch die Verordnung über die Entlastung des Reichsgerichts nicht ausgeschlossen. Der Beklagte hatte seine Vertragspflicht nicht schon dadurch erfüllt, daß er dem Kläger die Rechte aus den Bezugscheinen abtrat; er hatte auch dafür zu sorgen, daß die Reichsgetreidestelle nur noch den Kläger als Bezugsberechtigten behandelte, und alles zu unterlassen, was geeignet war, die Bezugsberechtigung des Klägers zu vereiteln. Wenn der Beklagte durch Verletzung dieser Vertragspflichten den abgetretenen Bezugsanspruch schuldhaft zum Erlöschen brachte, mußte er sich füglich so behandeln lassen, wie wenn er dem Kläger den Anspruch noch nicht abgetreten gehabt hätte; er war dann nach wie vor verpflichtet, dem Kläger einen Anspruch gegen die Reichsgetreidestelle auf Lieferung der in den veräußerten Bezugsscheinen angegebenen Menge Mais zum amtlichen Bezugspreis von 60 Papiermark für den Zentner zu übertragen. In diesem Falle konnte für die Schadenberechnung nicht der 23. August 1921 maßgebend sein; der Beklagte war nicht deshalb zum Schadenersatz verpflichtet, weil er am 23. August 1921 den an den Kläger abgetretenen Bezugsanspruch vereitelt hatte, sondern deshalb, weil er anfangs November 1921 sich weigerte, zur Erfüllung des Vertrags dem Kläger einen anderen, gleich hohen Bezugsanspruch zu verschaffen. Der Vertrag konnte allerdings auch dahin ausgelegt werden, daß der Beklagte von vorneherein nur verpflichtet war, dem Kläger den später vereitelten Bezugsanspruch zu übertragen. Das Berufungsgericht hatte festgestellt, daß der Kläger, wenn der Beklagte es nicht schuldhaft verhindert hätte, am 23. August 1921 mit der ihm zukommenden Menge Mais beliefert worden wäre und diesen alsbald um den Preis von 140 Mark für den Zentner weiterverkauft hätte. In diesem Fall war der Kläger nur um 80 Mark für den Zentner geschädigt; zum Ersatz dieses Schadens reichte der durch den Scheck gezahlte Betrag aus. (II, 26. Januar 1926.)

Amtl. Sammlg. S. 373—378.

Vgl. Bd. 31 S. 81; Bd. 109, S. 38.

82. **Prozeßgebühr. Beschränkung der Berufung. Wiedereinsetzung in den vorigen Stand.** (ZPO. §§ 233, 519, 519 b.) Für den Nachweis der Einzahlung der Prozeßgebühr wurde eine Frist gesetzt. Ein Teil der Gebühr wurde während der Frist einbezahlt; er war noch am letzten Tag der Frist zur Gerichtskasse gebracht, dort aber wegen des um 4 Uhr erfolgten Geschäftsschlusses nicht mehr angenommen worden. Mehrere Tage nach Fristablauf wurde die Berufung auf einen Teilbetrag beschränkt; für diesen reichte der bis zum Ende der Frist einbezahlte Betrag aus. Die Berufung wurde in vollem Umfang verworfen. Die Verwerfung ist auch dann vorgeschrieben, wenn vor Fristablauf der Nachweis der Zahlung der einverlangten Prozeßgebühr nur hinsichtlich eines Teils ihres Betrags nicht erbracht wird. Ob es sich um einen großen oder kleinen Teil handelt, ist bedeutungslos; wer auch nur einen kleinen Teil der Gebühr nicht bezahlt hat, kann den vom Gesetz verlangten Nachweis der Zahlung der erforderten Gebühr nicht erbringen. Ob die Sache anders zu behandeln gewesen wäre, wenn der Kläger schon vor Fristablauf seine Berufung beschränkt hätte, blieb dahingestellt; die nachträgliche Beschränkung war jedenfalls unerheblich, da die Frage der Zulässigkeit der Berufung nach der beim Fristablauf gegebenen Sachlage zu entscheiden war. Auch der Antrag auf Wiedereinsetzung in den vorigen Stand war mit Recht zurückgewiesen worden. Am letzten Tag der Frist war der Kläger von der Gerichtsschreiberei des Berufungsgerichts telephonisch auf den Fristablauf hingewiesen

worden; bei Anwendung der nach den gegebenen Umständen gebotenen äußersten Sorgfalt, die von dem Kläger als einem vorsichtigen Kaufmann verlangt werden konnte, hätte er die Versäumung der Frist vermeiden können. Davon, daß er durch einen unabwendbaren Zufall an der Einhaltung der Frist verhindert worden wäre, konnte hiernach nicht die Rede sein. (II, 29. Januar 1926.) Amtl. Sammlg. S. 378—382.

83. **Aktiengesellschaft. Offene Handelsgesellschaft. Anfechtung. Stimmrecht.** (HGB. §§ 252, 271.) Eine offene Handelsgesellschaft besaß eine große Zahl Aktien; ihre beiden Mitglieder gehörten dem Aufsichtsrat der Aktiengesellschaft an. Bei einer Beschlußfassung über die Entlastung des Aufsichtsrats stimmte der Vertreter der offenen Handelsgesellschaft mit. Die hierauf gestützte Anfechtungsklage wurde zurückgewiesen. Die Beschlußfassung ging nicht die offene Handelsgesellschaft, sondern ihre Gesellschafter an; diese waren, wenn auch vielleicht im Interesse der offenen Handelsgesellschaft, doch nur für ihre Person zu Mitgliedern des Aufsichtsrats bestellt und bei der Ausübung ihrer Obliegenheiten nicht als Vertreter der offenen Handelsgesellschaft und mit Wirkung für diese tätig. Die Aktien der offenen Handelsgesellschaft waren also vom Stimmrecht nicht ausgeschlossen. (II, 2. Februar 1926.)
Amtl. Sammlg. S. 382—384.

84. **Transportversicherung. Unterversicherung. Zeitversicherung. Aufwertung.** (VersVertrG. §§ 7, 8, 62, 141, 144; HGB. § 795.) Zwei eiserne Schuten wurden im Jahre 1913 zunächst auf die Dauer eines Jahres für je 6500 Mark versichert; da die Versicherung nicht gekündigt wurde, lief sie stillschweigend immer um ein Jahr weiter. Im November 1917 wurde eine der Schuten, die in einem Hafen verankert war, durch einen Sturm losgerissen und versank. Der Eigentümer machte vergebliche Versuche, sie wieder zu heben. Er verlangte Ersatz des Verlustes und Erstattung der von ihm für die Hebung aufgewendeten Beträge, die er auf 7000 Mk. berechnete. Die Klage drang in vollem Umfange durch; das Urteil wurde rechtskräftig. Mit der neuen Klage verlangte der Kläger Aufwertung. Auch diese Klage drang zum Teil durch. Die beklagte Gesellschaft hatte

dagegen eingewendet, daß die auf 6500 Mark versicherte Schute zur Zeit des Unfalls 9000 Mark wert gewesen sei, daß also Unterversicherung vorgelegen habe, daß außerdem der Kläger eine Erstattung der Hebungskosten nicht beanspruchen könne, weil ihm von der Hafenbehörde der Auftrag erteilt worden sei, die Hebung in die Wege zu leiten. Beide Einwendungen erklärte das Reichsgericht nicht für durchschlagend. Es handelte sich um eine Zeitversicherung, die immer wieder stillschweigend verlängert worden war. Eine solche stillschweigende Verlängerung bedeutete nicht den jeweiligen Abschluß eines neuen Versicherungsvertrags derart, daß alljährlich mit dem Eintritt der Verlängerung auch der Beginn einer neuen Versicherung eintritt; vielmehr war der Zeitpunkt, mit dem die Versicherung zu laufen begann, für die ganze Fortdauer als Beginn der Versicherung anzusehen und bildete der Wert, den die Schute in diesem Zeitpunkt hatte, den maßgebenden Versicherungswert. Eine Unterversicherung lag hienach nicht vor. Auch wenn sie anzunehmen gewesen wäre, hätte der Kläger den Ersatz seiner Aufwendungen für die Hebung der Schute in vollem Umfang verlangen können. Er durfte zur Abwendung und Minderung des Schadens grundsätzlich solche Aufwendungen machen, die er verständigerweise auch dann gemacht hätte, wenn sie nicht versichert gewesen wäre. Dieser Grundsatz darf allerdings nicht überspannt werden, muß vielmehr vor den überwiegenden Interessen des Versicherers, deren Beachtung die vertragsgemäße Treupflicht erfordert, Halt machen. Die beklagte Versicherungsgesellschaft hatte selbst dem Kläger die Weisung zur Hebung der Schute gegeben und die Auszahlung der Versicherungssumme von dem Versuch dieser Hebung abhängig gemacht; der Umstand, daß auch die Hafenbehörde die Hebung der Schute aus Verkehrsrücksichten verlangte, änderte nichts daran, daß es sich hier um Aufwendungen handelte, die auch im Interesse der beklagten Versicherungsgesell-gesellschaft geboten waren. (I, 3. Februar 1926.)

Amtl. Sammlg. S. 384—388.

Gesetzesregister.

Seitenzahlen der amtlichen Entscheidungen.

1 1—2; **2** 2—8; **3** 8—14; **4** 14—19; **5** 19—27;
6 27—32; **7** 32—34; **8** 34—38; **9** 38—40; **10** 41—46;
11 46—50; **12** 50—53; **13** 54—58; **14** 58—60; **15** 61—63;
16 63—67; **17** 67—71; **18** 72—80; **19** 81—85; **20** 85—88;
21 88—95; **22** 95—102; **23** 102—104; **24** 104—107;
25 107—108; **26** 109—117; **27** 117—119; **28** 119—124;
29 124—126; **30** 126—129; **31** 129—132; **32** 133—137;
33 137—140; **34** 141—144; **35** 144—147; **36** 147—149;
37 149—159; **38** 160—164; **39** 164—169; **40** 169—172;
41 172—189; **42** 189—194; **43** 194—198; **44** 199—202;
45 202—205; **46** 205—208; **47** 209—210; **48** 210—215;
49 215—221; **50** 221—226; **51** 226—229; **52** 229—233;
53 233—236; **54** 236—242; **55** 242—249; **56** 249—253;
57 253—260; **58** 260—269; **59** 269—272; **60** 273—280;
61 280—284; **62** 284—290; **63** 290—297; **64** 297—301;
65 302—305; **66** 305—310; **67** 310—312; **68** 313—317;
69 317—324; **70** 324—329; **71** 329—335; **72** 335—340;
73 341—345; **74** 345—348; **75** 348—352; **76** 352—354;
77 355—361; **78** 361—368; **79** 368—371; **80** 371—373;
81 373—378; **82** 378—382; **83** 382—384; **84** 384—388.

Sachregister.

FSC
www.fsc.org
MIX
Papier | Fördert
gute Waldnutzung
FSC® C083411

Kolibri 360 GmbH
Ferdinand-Jühlke-Straße 7
99095 Erfurt, Deutschland
produktsicherheit@kolibri360.de